よくわかる経絡治療 実践トレーニング

著
大上勝行

医道の日本社
Ido・No・Nippon・Sha

目次 CONTENTS

はじめに …………………………………………………………… IV

1章　姿勢を整える

　1　姿勢の大切さ ……………………………………………… 2
　2　立ち方 ……………………………………………………… 3
　　　［ドリル1］直立 ………………………………………… 6
　　　［ドリル2］スワイショウ ……………………………… 7
　　　［ドリル3］四股踏み …………………………………… 8
　　　［ドリル4］立禅 ………………………………………… 10
　　　［ドリル5］腹式呼吸（立位）………………………… 12
　　　［ドリル6］腹式呼吸（背臥位）……………………… 14

2章　取穴

　1　軽擦からの取穴 …………………………………………… 18
　　　［ドリル7］タオルで取穴 ……………………………… 20
　　　［ドリル8］自分の足で取穴 …………………………… 22
　2　背部の取穴のコツ ………………………………………… 24
　3　手足の取穴のコツ ………………………………………… 26
　　　［ドリル9］背中・手足の取穴 ………………………… 28

3章　押し手と刺鍼の基本

　1　押し手の基本 ……………………………………………… 32
　2　「鍼管ねじ込み型」の刺鍼 ……………………………… 34
　3　「押し手鍼管同時型」の刺鍼 …………………………… 38
　4　押し手のバランス ………………………………………… 40
　5　押し手のチェックポイント ……………………………… 42
　　　［ドリル10］板への刺鍼 ……………………………… 44
　　　［ドリル11］タオルに刺鍼 …………………………… 46
　　　［ドリル12］自分の足に刺鍼 ………………………… 48
　　　［ドリル13］背中・手足の刺鍼 ……………………… 50
　6　刺鍼時の姿勢 ……………………………………………… 52

4章　鍼の効かせ方

1. 気の調整と補瀉の使いこなし …………………………… 58
2. 経絡治療はイメージ ……………………………………… 64
3. 補瀉の手技を学ぼう ……………………………………… 67
4. 補瀉の手技①大小 ………………………………………… 69
5. 補瀉の手技②迎随 ………………………………………… 71
6. 補瀉の手技③深浅 ………………………………………… 72
7. 補瀉の手技④出内 ………………………………………… 73
8. 補瀉の手技⑤呼吸 ………………………………………… 75
9. 補瀉の手技⑥開闔 ………………………………………… 77
10. 催気 ……………………………………………………… 80
11. 病理に合わせた手技の組合せ …………………………… 82
    [ドリル14] 気の至りを感じる ………………………… 88

5章　手技の選択

1. いろいろな手技 …………………………………………… 92
2. 鍼を使った手技 …………………………………………… 93
3. 灸を使った手技 …………………………………………… 98

6章　実際の治療

1. 問診 ……………………………………………………… 108
2. 切診 ……………………………………………………… 109
3. 本治法 …………………………………………………… 112
4. 背部置鍼 ………………………………………………… 113
5. 最終調整 ………………………………………………… 114
6. 誤治について …………………………………………… 115

おわりに ……………………………………………………… 118

【コラム】
型破り ………………………………………………………… VIII
肩甲骨を広げる ……………………………………………… 15
重心は下へ …………………………………………………… 16
「瀉」と「寫」 ……………………………………………… 79
まずは背部置鍼から ………………………………………… 87
呼吸と痛くない鍼の関係 …………………………………… 90
ちょうどよい温灸 …………………………………………… 106

はじめに

まず型をつくる

名人になりたい！

　私たちは、何に向かって日々精進しているのでしょうか？　私は、「より多くの患者さんを治したい」、「より早く治したい」という思いで勉強をし、練習をし、日々の臨床に向かっています。

　もうひとつ、私には「名人になりたい」という思いがあります。せっかく鍼灸という技術を学んだのだから、できるだけその技を極めたいと思っています。それがまた多くの患者さんを治すことにも繋がるはずですから。

　その目標として、数々の先人・名人の存在があります。今まで師匠の池田政一先生をはじめとして、いろんな名人の技に触れてきました。そうした人達に一歩でも近づきたい、自分もあのようになりたいと思ってやってきました。

　ところで「名人の鍼」というのはその効果もさることながら、手際がよく、鮮やかで、美しく、芸術的にも見えます。名人は脈を診る姿すらも美しいのです。しかし、ときに名人の鍼は理解不能でもあります。それは手が早いからだけではなく、何をしているかすらわからないことがあるのです。同じ経絡治療の鍼灸師でありながら、「配穴の意味がわからない！」「なぜか太い鍼をブスブスと刺している！」etc……。このように、名人芸と普段自分がやっている経絡治療とが結びつかないことがあるのです。これはどうしてなのでしょうか？

　それは名人には日々発見があり、日々進歩しているからなのです。名人は数十年の臨床研究の間に、発見し、積み上げ、そぎ落とすことを繰り返して、現在のスタイルを形成しています。ですから名人を理解し、その技を習得するのは一朝一夕にはいかないのです。

　名人の手技をただ猿まねしても、同じような成果は得られません。

　もし同じようにしようとするならば、名人に弟子入りして10年以上の年月を費やさないといけないでしょう。長年師匠のそばについて、まさしく見習って身につけていくものなのです。しかしそれは

誰にでもできることではありません。

では、誰もが名人を目指せるようにするにはどうしたらよいでしょうか？

基礎を積み重ねる

名人への道は、もうひとつあります。それは、まず基礎から一つひとつ積み上げることです。そばで見習うことができない分、まず基本技術をしっかり身につけ、盤石な土台をつくります。そうしてその後、試行錯誤や取捨選択を行い、自分の目指すものを見つけ、自分の型をつくっていくのです。

本書では基本動作を丁寧にマニュアル的に列記し、チェックしやすいようにしています。こうした一見簡単そうに見える細かい技術や基礎、意識の積み重ねが、結果としてしっかりとした上質な技術を身につけることに繋がります。

多くの名人の神業は、天才を別にして、必ず基本的な技術の裏づけから成り立っています。私の師匠も、私が入門した1990年頃は非常にシンプルでオーソドックスな治療をしていました。脈を診て、本治法をして、腹臥位で置鍼して、最後に温灸や散鍼で仕上げ……といった、経絡治療のお手本のような治療です。

現在でももちろん脈診や本治法を大切にされていますが、患者さんや病状によって合わせた選穴・手技を取り入れ、バラエティにとんだ治療をしています。ずっとそばで見てきたものとして、これはやはりしっかりとした基本技術があるからこそなせる技だと感じています。

理論と実践

何でもそうですが、やみくもに練習すればするほど上手になるという訳ではありません。

テニスでも、まずはラケットの握り方を教わり、フォアハンド、バックハンド、サービスといった基本技術をマスターし、さまざまな練習を経て、ようやくゲームができるのです。ただラケットを振り回しているだけでは、ゲームができないばかりか、満足感も得られないでしょう。

合理的で意味のある身体の使い方を理解して意識し、その上で反復練習し、身体に覚え込ませるほうが、ただ単にやみくもに練習するよりも、はるかに技術の習得が早くなります。

この本ではどのような手順で鍼をうつかということが、基本から書かれています。

この本を読んで、その手順をまずは身につけ、やってみてわからないところや、うまくいかないところはもう一度読むというふうにしていただければ、より早く上達すると思います。

繰り返し

　手順を身につけるというのは、本を読んで覚えて「ハイ終わり！」というものではなく、文字通り身体に覚え込ませるということです。鍼灸は手先の職人芸ですから、頭で理解していても、実際に実現できないと意味がありません。

　頭で考えて理解し、身体を動かし、また頭で考えるのです。この繰り返しが上質な理論、技術に繋がります。

　本書もまた繰り返し読むことで、基本の姿勢から取穴、刺鍼に至るまでの一連の流れをステップアップ方式で身につけられるように構成されています。経絡治療の理論をイメージしやすいように、イラストもできるだけ多くいれています。繰り返し読んで頭に叩き込めば、治療のときに経絡治療のイメージが浮かんできて、治療の一助になるはずです。

コラム

型破り

　「まず基本をコツコツと積み重ねましょう」「まず型をしっかりと身につけましょう」と指導していると、受講生から「型どおりなんて、個性がなくて面白くない」「型にはまった、みんなと同じような治療はしたくない」と言われたことがあります。しかし、型を身につけずに、どうしてよい鍼がうてるのでしょうか？　どうして患者さんが治せるのでしょうか？

　故中村勘三郎さんが、禅宗の僧侶で教育評論家の無着成恭さんの発言を紹介しています（映画　中村勘三郎）。

**　型があるから、型破りっていうんだよ。
　型がなかったら「型無し」って言われちゃうからね。
　型を身につけてから、破るから「型破り」になるのかな。**

　無着成恭さんのこの言葉は、歌舞伎の世界で破天荒、型破りといわれていた勘三郎さんが座右の銘にするほどの影響を与えました。

　人と違うことをしようと思えば、まずは一通りの基本を身につけないといけません。型をしっかりとつくったあとで、壊していくのです。いきなり個性的な治療家にはなれないのです。
　これから本書でするお話は、まず身につけるべき最初の型のお話です。

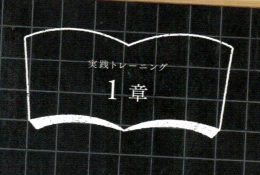

実践トレーニング
1章

姿勢を整える

　鍼名人になるための近道はありません。何よりも必要なのは基礎を積み上げることです。本章ではすべてのスタートである姿勢について解説します。「今さら姿勢なんて…」と思うかもしれませんが、基本ほどおろそかにしがちです。素直な気持ちで取り組んでみましょう。

1章 PART.1

姿勢の大切さ

すべてのスタートは「姿勢」から

　名人の実技を見たことがある人ならわかると思いますが、名人はみな、きれいに流れるように治療していきます。

　もちろん動作が美しいからといって鍼が上手だとは言えないのですが、極めた技というのは、自然と無駄がなくなり、美しく見えるのです。

　これは一朝一夕に完成したものではなく、長年の繰り返し作業により洗練されてできたものです。おそらく名人と呼ばれる人たちは、「あれをして、これをして……」と頭で意識せずに治療をされていると思います。もちろん適当にやっているのではなく、身体に動きが染みついているからなのです。

　これをみなさんがいきなりまねても、ギクシャクするだけでしょうし、もちろん同じような成果は得られません。名人の実技を見て、まねをするのもよいですが、基礎がないと表面的な模倣で終わってしまいます。普段から名人を目標にしつつ、目の前の小さな基本を大切にしてください。その積み重ねが名人への道なのです。

　==動作をスムーズにするために、まずその前の「姿勢」に気を配りましょう。姿勢、つまり最初の準備姿勢がよければ、その後はスムーズに動くことができます。==逆に準備姿勢が悪いと、最初の段階でつまずき、後の動作もぎこちないものになります。

　鍼灸実技の目標は、脈を診ることができて、効く鍼をうつことです。そのために指の置き方、沈め方、取穴、押し手、刺鍼といろいろ練習するわけですが、これらの上達の基本となるのが「姿勢」です。

　姿勢がよければ脈診も刺鍼も上手になります。よい姿勢は安定しているので、脈診や刺鍼も安定します。また、よい姿勢は疲れにくいので、たくさんの患者さんを診ることができます。

PART. 2
TITLE.

立ち方

正しく立ってみよう

脈診、刺鍼の基本は姿勢です。そして、姿勢の基本は立ち方にあります。私たちは患者さんのそばに立ち、診察、治療をします。それらに繋がる最初の動作は立つことです。

安定した立ち方から姿勢が決まり、脈診、刺鍼も安定します。

それではまず、肩幅と同じぐらいに両足を並行に広げて、まっすぐに立ってみましょう。正しい姿勢を保つために次のことを意識して、立ってください。

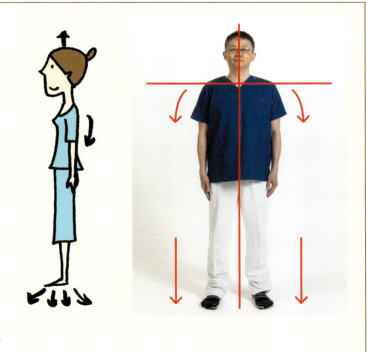

よい立ち方とは、
①直立
②傾いていない
③ねじれていない
④肩の力が抜けている
⑤下半身が安定している
です。
まっすぐに偏りなく立ち、下半身に重心があり、上半身がリラックスした状態がよいのです。p.6「ドリル1」を活用して練習してください。また、④はp.7「ドリル2」、⑤はp.8「ドリル3」で練習を積み重ねてください。

身体は意外に歪んでいる

　イメージを大切に、しばらくの間、意識して立ってみてください。毎日続けていると、意外に身体が歪んでいることがわかるようになります。

　実際に患者さんの横に立ち、診察、治療するときは、足を並行にそろえられないときもあるし、そもそも脈診、刺鍼のときには前かがみの姿勢になってしまいます。しかし、このまっすぐに立つという基本姿勢を身につけておくと、前かがみのときでも安定した姿勢を保つことができます。

力を抜く

　鍼をうつときの押し手はしっかりしていないといけません。押し手が不安定だと刺鍼も不安定になります。そうすると、痛い鍼、効かない鍼になってしまいます。

　ですから初心者には、押し手を安定させるために指先や手に力を入れるよう指導します。しかし、「力を入れるように」と言うと、みなさん肩から力が入ってしまい、その結果、非常に窮屈な押し手になり、安定感も失われます。

　しっかりと指先に力の入った押し手をつくるためには、肩、肘、手首に力が入っていてはいけないのです。肩、肘、手首の力が抜けることで、指先に力がよく入り、安定した押し手をつくることができます。これは脈診においても同じことが言えます。指先を柔軟に使うためには、肩、肘、手首の力を抜かないといけません。

基本の姿勢

①肩の力を抜く

肩の力を抜くには、肩をいからせていてはいけません。姿勢の基本は背筋を伸ばして肩の力を抜くことです。ハンガーにコートをかけるイメージで、中心軸をしっかりとし、肩は大椎から出ているようにイメージして、落とします。

②肘の力を抜く

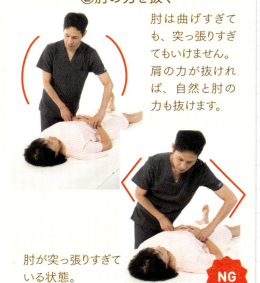

肘は曲げすぎても、突っ張りすぎてもいけません。肩の力が抜ければ、自然と肘の力も抜けます。

肘が突っ張りすぎている状態。 **NG**

③手首の力を抜く

人の身体は平面ではなく立体なので、手を密着させるためには、手首を柔軟にしてあらゆる面にフィットできるようにします。まっすぐに立ったときから、肩、肘、手首の力が抜け、手を握りしめないように意識しましょう。

力を抜いてリラックスした姿勢をつくるために、p.7「ドリル2」、p.12「ドリル5」、p.14「ドリル6」で練習を積み重ねてください。

ドリル1

直立

目的 正しい姿勢を身につける

レベル ★☆☆☆☆
目標　1日1回（週7回）

　正しい姿勢を身につける基本は、まっすぐに立てるようになるということです。これは身体の中心軸を意識し、地面に垂直になることと同じです。実際に立ってみると、自分ではまっすぐに立っているつもりでも、案外みなさんできていません。

　では、そのトレーニング方法をお教えしましょう。やり方は簡単。直立で数分間、その姿勢を保つだけです。長時間立ち続けることにより、身体の歪みを意識できるようになり、まっすぐに立てるようになります。

①両足をピタリとつけて直立する

以下のように取り組んでみましょう。
①足の母指とかかとを、共に左右くっつけます。
②顎を引いて背筋を伸ばし、肩の力を抜いて、百会から糸が出て、天井に吊るされているようにイメージします。
③ある程度経ち、落ち着いてきたら、姿勢のチェックをします。
☑中心軸は垂直ですか？
☑身体はまっすぐ前を向いていますか？　歪んでいませんか？
☑肩の力は抜けていますか？　左右対称ですか？
④頻繁にチェックするのではなく、微調整したらしばらくその姿勢を保ちます。
⑤5分、10分、20分など、一定の時間を決めて行います。

ドリル 2 スワイショウ

目的 肩の力が抜けた よい姿勢になる

レベル ★★☆☆☆
目標　1日1回（週7回）

　脈診においても刺鍼においても姿勢はとても大切です。「姿勢をよくする」とは、「背筋を伸ばし、肩・肘・手首に力が入りすぎないようにする」ということです。このような姿勢は身体に負担がかかりにくくなり、指先に集中することができます。

　ところがみなさん肩に力が入っていることが多く、指摘しても自覚がない場合があります。自覚がないため指摘をされても力を抜くことができません。肩の力を抜くには、スワイショウをおすすめします。スワイショウとは、気功や太極拳の準備体操に用いられ、家庭でも数分間の隙間時間で実行できます。

①肩幅に両足を平行に広げ、腕を後ろに振る

②最初は後ろに振る方を意識し、あとは勢いにまかせて振り子のように動かす

後ろに振り

勢いで前に振る

姿勢は、ドリル1のように、頭のてっぺんから、天井に糸で吊るされているイメージで立ちます。両腕をだらりと下げて振っているうちに、肩周りがほぐれ、力が抜けます。

ドリル 3 四股踏み

目的 下半身が安定したよい姿勢をつくる

レベル ★★★☆☆
目標　1日1回（週5回）

　最近の若い人（このようなフレーズは本来NGワードですが）は、足が長くて、スタイルもよい人が多いです。しかし、その分腰高になり、重心が安定していません。ですから脈を診るときも、鍼を刺すときも、前のめりになっていて、身体をうまく使えていないのです。臨床においては、重心は下に、上半身は身軽な状態、つまり上虚下実の状態がベストです。

　重心を下におくには、下半身を安定させることが大切です。その鍛錬には四股踏みがよいです。四股は足腰の鍛錬と、バランス感覚を養うのに向いています。ただし、四股を踏むといっても、ただ単に左右の足を交互に上げればよいというのではありません。左右の重心の移動が大切です。

①深く腰を落として、背筋はまっすぐに伸ばす

筋力、体力に応じて、足を広げて腰を落としてください。

②肩を入れる

③反対の肩も入れる

①の姿勢で、手で膝を交互にグッと押し、肩を内側に入れます（②③は準備運動です）。

④ ゆっくりと片足に重心を移動させる

⑤ 体重移動したら、膝を伸ばす

> 片方の足を上げるのではなく、重心側の足の膝を伸ばすのに合わせて自然と上がる感じです。

⑥ ゆっくりと足を下ろす

⑦ 反対側に重心を移す

⑧ 体重移動したら、膝を伸ばす

> この動作を繰り返します。初心者は1回につき左右交互に10回ずつ行います。慣れるに従って増やしていきましょう。

ドリル 4 立禅

目的 気が満ちて、巡っている身体をつくる

レベル ★★★★☆
目標　1日1回（週5回）

　立禅とは、立ってする禅のことです。ここでは站椿功（たんとうこう）と呼ばれる内気功の一つを紹介します。

　気功とは人体の「気」を鍛錬する方法で、外気功と内気功があります。外気功は気を外向きに出すもので、たまにテレビでも取り上げられているような、人を飛ばしたり、病人に気を入れたりするものです。反対に、内気功は自身が持っている気を内向きに鍛えるもので、臍下丹田に気を溜める方法です。自分自身の養生や長寿に大いに役立ちます。

　站椿功を行うと体中の気が充満し、同時に体中を気が巡ります。心身共に安定し、身体に力がみなぎるのを感じます。身体の中心軸を意識することができるようになり、普段の姿勢も安定した楽なものになります。このドリルは鍼をうつ際の正しい姿勢を保つためにとても重要です。詳しくはp.53で解説します。

①心を穏やかに保ち、自然な呼吸で直立する

②肩幅と同じに両足を平行に広げる

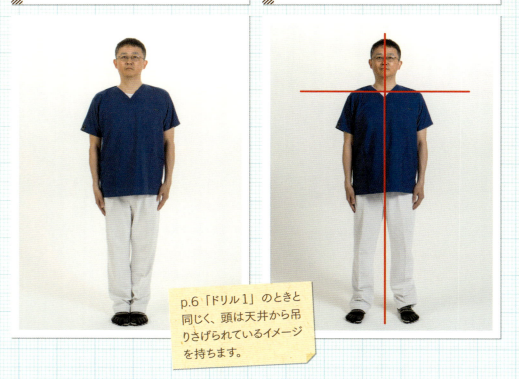

p.6「ドリル1」のときと同じく、頭は天井から吊りさげられているイメージを持ちます。

③膝を曲げ、腰を落とし中腰になり、両手で円をつくる

姿勢は、高いイスに腰掛けるようにして、膝がつま先から出ないように、おしりを突き出さないように意識します。
足全体に体重をかけますが、少し母指のつけ根に重心がかかるようにします。足は地面の中に埋まって根を張っている感覚です。
胸の前でつくる円は、両手で大きなボールをかかえるように意識します。手の指全体が繋がっているような感覚をイメージします。

目は軽く開き遠くの方を見ておく

顎に玉を挟むような姿勢を維持します。

ドリル 5

腹式呼吸（立位）

目的
リラックスした姿勢をつくる

レベル ★★☆☆☆
目標　1日2回（週7回）

　下半身に重心を置き、上半身をリラックスさせるためには、お腹で呼吸をしないといけません。緊張していると胸式呼吸になってしまいます。胸式呼吸では、どうしても上半身に力が入り、重心が安定しません。

　また、腹式呼吸は刺鍼後に患者さんに気を巡らせるときにも必要になります。

　ドリル5では立ったままでできる、腹式呼吸のトレーニング方法をご紹介しましょう。

①背中を壁につけて立つ

足は、左右のつま先からかかとを平行にして、肩幅程度に開いて立ちます。

②口からゆっくりと息を吐く

③鼻からゆっくりと息を吸い込む

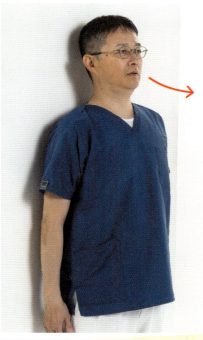

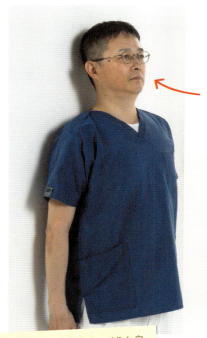

いけるところまで口から息を吐ききったら、鼻からゆっくりと息を吸い込みます。息を吸うときは下腹の風船が膨らむようにイメージし、下腹を大きく膨らませていきます。口で吐いて、鼻で吸う深い呼吸を繰り返します。繰り返していくうちに、大きくお腹で呼吸できるようになります。

上達のコツ

- 肩、首の力は抜くように意識して、上半身をリラックスさせましょう。
- 肩、胸は動かさず、お腹だけを動かしてください。
- 腹式呼吸はちょっとした時間でもできるうえ、気分転換にもなります。毎日、空いた時間に取り組みましょう。

ドリル6 腹式呼吸（背臥位）

目的 腹式呼吸を覚える、腎（元気）を養う
レベル ★★☆☆☆
目標　1日1回（週7回）

　普段から腹式呼吸ができていない人は、意識しないと身につきません。しかし、練習を繰り返すことで、自然にできるようになります。

　また、身体の状態によって、腹式呼吸ができない人もいます。先日、肺炎で長期入院された患者さんが来院しました。この患者さんは「息が大きく吸えない、胸が苦しい」とおっしゃっていました。腹診をするとみぞおちが硬く詰まっています。脈を診ても尺中が虚して、寸口が強くうっていました。これは腎虚のため、気が衝き上げて上焦に負担をかけている状態です。つまり、この患者さんは、長期入院で元気（腎気）が衰え、陰の引き締める力が弱くなったために、息を大きく吸い込めない、そのために胸で呼吸をする、そして胸が苦しくなる……となったのです。

　このようなときは、腎をしっかり補い回復すれば息が大きく吸えるようになります。この患者さんの場合は復溜と然谷を補うことで、みぞおちのつかえも取れ楽になりました。

　このように腹式呼吸は大切で、逆にいうと腎（元気）を養うことにもなります。身体が無意識に覚えるよう、ドリルを続けてください。

①膝を立ててリラックスして背臥位になる

②膝を片方に傾けてゆるめる

③反対側にも傾けてゆるめる

④手を腹部において、鼻から吸って口から吐く呼吸をする

呼吸の仕方はドリル5に準じます。

肩甲骨を広げる

　イチローよりも早く1,000本安打を達成した戦後すぐの名打者、榎本喜八には次のような逸話があります。

　「早実（編注：早稲田実業）の厳しい練習でクタクタになって帰宅するでしょ。でも、素振りをしないと落ち着いて寝られないから、500も600も素振りをする。どうしたって手抜きしたくなるんだけど、それでも"プロ野球選手になるんだ"と思って必死でバットを振ってたら、あるとき、フッとバットを軽く感じたことがあったの。それが、背中を亀の甲羅のように丸めて構えて、グリップを左肩より高い位置においたときだったんです。スッと両脇が締まって、バットが軽く感じられた」

　同じように構えても、左右の肩甲骨の間が狭くなるように構えると、状態に無駄な力が入ってバットを軽く感じることはできない。

『打撃の神髄　榎本喜八伝』（松井浩）より引用

　実は鍼灸における押し手も同じで、上下圧、左右圧をかけようとしても、肩、肘、手首に力が入っていると、うまく入りません。肩、肘、手首の力を抜けばよいのですが、なかなか抜けません。

　鍼をうつときも前かがみになりますが、中心軸はぶれないように、そして肩甲骨を広げるように意識するとよいですね。

重心は下へ

　テレビ番組の『情熱大陸』で、ピアニストの小林愛実さんが指導者から次のような指摘を受けていました。

　フォルテを胸から出すと力んでしまう。
　フォルテのときは、腰を強くして、イスに抗力をかけて座ること。
　イスを押す感覚です。
　すると、もっと大きな筋肉を使います。
　背中と三頭筋を使って欲しいのです。
　　　　　　　2015年11月8日放送　毎日放送『情熱大陸』より引用

　指先に力を入れるためには、肩や手だけではなく、上半身全体を使わなければいけません。鍼灸も同じです。肩甲骨を広げて肩・肘・手首の力を抜くことで、指先に集中でき、気の操作ができるようになります。

　上半身に力が入っていてはいけません。ゆったりとすることが大事です。前のめりではいけないのです。

　そうするためには、下半身を安定させ、重心を下に持っていきます。そうすると自然と上半身の力が抜けます。

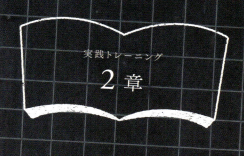

実践トレーニング
2章

取穴

「ツボ」にはさまざまな見解があり、初心者には難解なものに感じられるかもしれません。だからこそ、取穴の訓練を重ねて、正しい生きたツボをとらえることが大きな一歩となります。また、臨床においては、流れるような動作のなかで取穴することも大切です。

軽擦からの取穴

ツボを探す

鍼を刺すにはツボをとらえなければなりません。ツボとは、気の流れが悪くなって停滞したために、他の部位と違った反応が現れている部位です。硬結、陥凹、隆起、脱力、乾燥、湿潤、寒熱などの反応があります。

ツボの反応もいろいろで、他の部位と大きく違った反応が出ているところもあるし、少しだけの違いしか出ていないところもあります。おおむね反応が大きく出ているところが治療点となることが多いですが、身体中に出ている反応の中から、より治療に適したツボを探し出さなければなりません。ツボの探し方のおおまかな流れを紹介します。

ツボの探し方（取穴）の手順

①経穴をだいたい決める

まず、四診から得た情報を解析し、ある程度治療する経絡、経穴、部位を決めてから取穴に臨みます。
取穴は押し手に用いる方の手で行います。右利きの方は左手ですね。ツボを探り、取穴をしたら、そのまま押し手、刺鍼へと流れていくためです。

②大きく撫でる

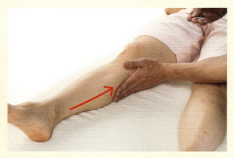

ツボはいきなり指先で細かく探るのではなく、まず手のひらで大きく撫でておおまかな情報を得ます。背部なら上から下へ、下肢の腎経なら湧泉、然谷、太渓へというように下から上へ大きく撫でさすります。

③密着させる

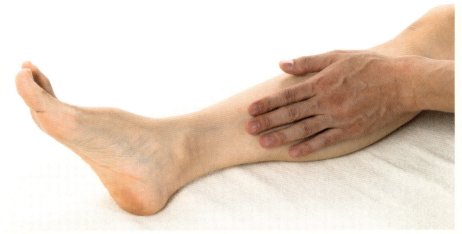

撫でさする手にはやや圧をかけ、皮膚面に手のひら全体を密着させるようにします。人の身体は平面ではなく、かつ柔らかく弾力があるので、手のひらを密着させるために圧をかけます。

④細かく絞っていく

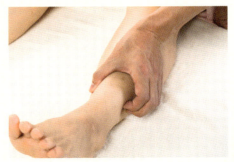 

撫でさすることによって、経絡上または面上におおまかな地図を描き、詳しく診ていくべきポイントを決めます。おおまかなポイントが絞れたら、指先で細かく診ていきます。このときに用いる指は、母指か示指です。ツボを探りあてたら、そのまま押し手に入るためです。

練習で指先の感覚を強める

　これからいくつかの取穴に関する練習方法を紹介していきます。コツコツと練習を重ねて、ツボをとらえるために必要な手と指先の感覚を養ってください。

ドリル 7 タオルで取穴

目的 ツボを探る手の動きを身につける

レベル ★★☆☆☆
目標　1日1回（週5回）

　鍼を刺すには、ツボを取って、押し手をつくらなければいけません。ツボは教科書どおりの場所にはありません。まして臨床の場では、手の感覚を最優先します。ここではタオルを台にしてツボを探る練習方法を紹介します。

① タオルにシールでポイントをつける

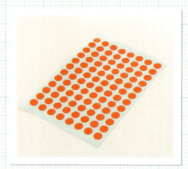

適当な大きさのタオルを用意して6〜8ヵ所、シールを貼ります。シールの部分をツボに見立てます。

② タオルを大きく撫でる

大きく何度か撫で、手のひらでおおまかな情報を得るように意識します。利き手とは逆の手で行ってください。

③ポイントを取り、押し手をつくる

撫でながら、シールをツボと見立てて、示指でツボをしっかりとらえます。そのまま押し手をつくります（よい押し手のつくり方は3章で解説していますので、このドリルではそこまで意識しなくてもよいです）。

②〜③を10回以上連続して行い、滑らかにできるようにする

 →

p.46の、ドリル11「タオルに刺鍼」と組み合わせて取穴から刺鍼までの練習として行ってもよいです。

ドリル 8

自分の足で取穴

目的
手のひらを密着させ、ツボを探る動きを身につける

レベル ★★☆☆☆
目標　1日2回（週5回）

　仕事の合間や電車での移動中など、自分の太ももをさすってツボを取る練習をしてみましょう。ズボンやストッキングの上からでもよいです。

①足を大きく撫でる

手のひらを密着させて大きく何度か撫でて、安定したこちよいさすり方を見つけます。利き手とは逆の手で行ってください。

②ポイントを取る

撫でながら、他と違う点を感じたら、示指でツボを探りあてます。

③押し手をつくる

そのまま押し手をつくります（よい押し手のつくり方は3章で解説していますので、このドリルではそこまで意識しなくてもよいです）。

①～③を10回以上連続して行い、滑らかにできるようにする

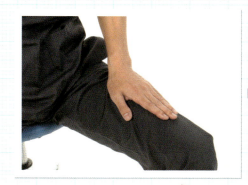 →

p.48の、ドリル12「自分の足に刺鍼」と組み合わせて、連続して行ってもよいです。

背部の取穴のコツ

背部の取穴も指先の感覚を大切に

　経絡治療では、本治法に用いる五行穴とともに、背部兪穴がよく使われます。==背部兪穴は臓腑と直接的に結びついており、虚実の反応もよく出ています。==

　経絡治療学会では、本治法の後、背部兪穴に置鍼する術者が多いです。私も本治法は単刺で行いますが、背部兪穴には置鍼しています。

　多くの場合、膀胱経一行線を目標にして、左右8～12本ぐらい刺します。本数は病気の種類や患者さんの体質を考慮し、虚実寒熱の程度を診て決めます。虚実ともに硬結を目標とします。虚の硬結は表面的には陥凹など虚していて、押さえると底に硬結を感じるところです。

　取穴の際には、「肝虚証なら肝兪」といったように、証も参考にしますが、なによりも手指の感覚を一番大切にしています。背部の軽擦から取穴までの流れは次のような手順で行います。

背部の取穴の手順

①大きく撫でさする

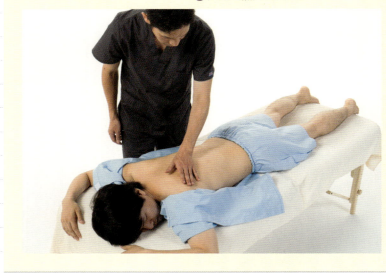

背部を上から下へ、大きく撫でさするように、手のひら全体で診ていきます。このときおおまかに虚実・寒熱・燥湿・硬軟・凸凹などをとらえます。

②指先で探る

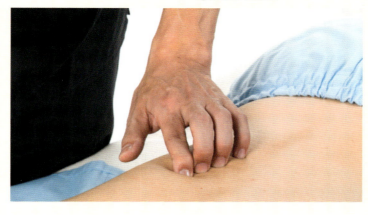

他の場所と感覚が違うところを、指先で探っていきます。

③硬結を取る

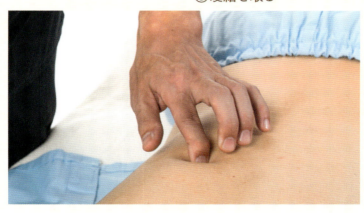

虚しているところ、実しているところを取ります。虚実ともに硬結を目標にします。虚しているところでも底に硬結があるところを取ります。

背部取穴のポイント

☑ **上半身にはたくさん取らない。**
　→多いとのぼせます。
☑ **左右にズレないようにする**
　→上下は多少のズレがあってもよいですが、左右にズレると膀胱経をはずしたことになるので効きがよくありません。

PART. 3
TITLE.
手足の取穴のコツ

手足は曲面

　経絡治療では、五行穴を始めとする手足の要穴を選穴することが多いので、その取穴の正確さが治療効果を左右するといっても過言ではありません。基本的な取穴方法、つまりツボの探り方、ツボのとらえ方は軽擦から取穴まで（p.18〜19）に基づきます。背部の取穴の仕方（p.24〜25）も参考にしていただくとよいと思います。手足と背部との大きな違いは、背部が大きな平面であるのに対して、==手足は曲面であり、さまざまな方向に面していることです。==

　つまり手足の取穴の際には、よい体勢がとれなかったり、押し手をつくる面を十分に確保できないことがあります。ですからツボを探る指である、母指、示指も大切ですが、その他の指がサポートしないといけません。

〈背中〉　　　〈手足〉

背中は平面なのに対して手足は曲面です。この点がわかっていないと、正しい取穴やよい押し手がつくれません。

安定性が大切

　たとえば三陰交を取るときには、内踝の上3寸あたりを脛骨沿いに探っていきますが、母指や示指だけで押さえても、しっかりと足をとらえていないと、足がぐらついて動き、うまく取穴できません。

　ここでおさらいをしておくと、ツボを探るのは、まず手のひらで大きく探り、おおまかに全体像をつかんでおいてから、指先で詳しく診ていきます。このときに探る手は必ず押し手をつくる方の手（だいたいのひとは左ですね）で、詳しく診ていくときには母指か示指を使います。

　指先だけで探ると、足がぐらつき不安定になるので、詳しく診ることができずに、正確なツボが取れません。手足の取穴の場合は、他の指でしっかりと固定しておく必要があります。

　具体的には、母指で探るときには、他の4本の指で足をつかむようにして固定し安定させて、しっかりと探れるようにします。また、示指で探るときも、母指と他の3本の指で足を固定すると、ツボが探りやすくなります。

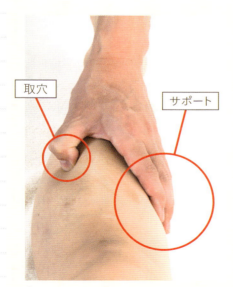

母指で取穴する場合は、その他の指でしっかりつかんで安定させます。

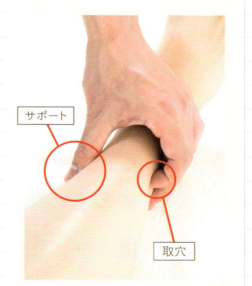

示指で取穴する場合は、反対側の母指でしっかりつかんで安定させます。

ドリル 9 背中・手足の取穴

目的 臨床を想定して身体で取穴をする

レベル ★★★☆☆
目標 1日1回（週3回）

ドリル7、8で軽擦から取穴の流れを身体に覚えさせたら、今度は実際に人の背中や手足を使って軽擦、取穴をしてみましょう。

①背中を大きく撫でる

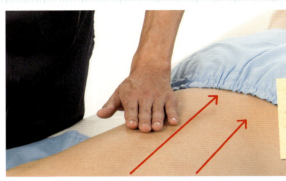

手のひらで大きく何度か撫でて、おおまかな情報を得ます。利き手とは逆の手で行ってください。

②ポイントを取り、押し手をつくる

 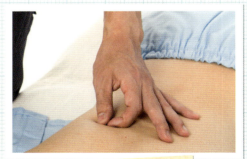

撫でながら、虚している点や、他と違う点を感じたら、示指でツボを探りあてます。そのまま押し手をつくります（よい押し手のつくり方は3章で解説していますので、このドリルではそこまで意識しなくてもよいです）。

①〜②を10回以上連続して行い、滑らかにできるようにする

①手(足)を大きく撫でる

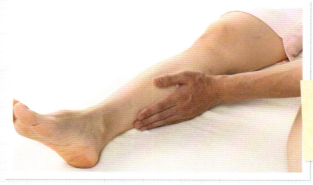

目的となるツボの周囲だけでなく、手のひらで経絡に沿って大きく何度か撫でて、おおまかな情報を得ます。

②ポイントを取り、押し手をつくる

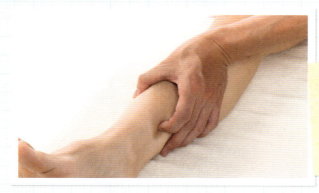

撫でながら、虚している点や、他と違う点を感じたら、示指もしくは母指でツボを探りあてます。指でツボを探りあてるときは、p.27で解説した通り、別の指でしっかりサポートしてください。

①〜②を10回以上連続して行い、滑らかにできるようにする

上達のコツ

いろんなツボで練習しよう

手足の場合は経絡ごとに母指での取穴・示指での取穴と臨機応変に対応する必要があります。できれば示指・母指の両方での取穴法をまんべんなく練習してください。

実践トレーニング
3章

押し手と刺鍼の基本

　この章は、本書のキーポイントです。痛くない鍼、よく効く鍼をうつためには、ゆるまずに安定した優しい「押し手」がとても大切なので、初心者でも実現可能な方法を紹介しています。ドリルで鍛錬を積み重ね、鍼管の扱い方、刺鍼の方法を習得しましょう。

押し手の基本

よい鍼の条件

鍼をうつときに大切なのは、次の2つです。

①痛くない鍼をうつこと
②効く鍼をうつこと

本章では、この2つを兼ね備えた刺鍼を目標に、解説を進めていきます。

なぜ鍼が痛いのか、なぜ鍼が効かないのか

率直に言うと、鍼を刺したときに「痛い」のは、押し手（鍼を支える手）が浮いているためです。よい押し手というのは、患者さんの身体に密着した柔らかい押し手です。しかし、初心者には「密着」と「柔らか」の両方を同時に実現することは難しいです。学校では柔らかいソフトな押し手を教えられるかもしれませんが、柔らかすぎて押し手が浮くと、どうしてもそれに伴って鍼管も浮いてしまい、鍼が痛くなります。人間の身体は真っ平らではないので、意識して押し手を密着させないと、浮いてしまいます。

また、鍼を効かせるためには、ツボをとらえ、そこに的確に刺さなければなりません。人の身体は弾力があり、ツボも表面に浮いてきているもの、奥に沈んでいるものなどさまざまです。そのため、ツボをしっかりととらえて押し手をつくり、鍼管をあて、鍼を刺すという一連の動作を、最後までツボを逃さないように成し遂げなければなりません。

痛くない鍼、効く鍼の秘訣は「押し手」

　痛くない鍼、効く鍼をうつために、最初にしなければいけないのは、ずばり、しっかりと安定した押し手をつくることです。私たち鍼灸師は、患者さんの手、足、腹、背中など、あらゆるところに鍼を刺します。人の身体は平らなところばかりではないので、安定した押し手をつくるのは、実はなかなか困難です。

　安定した押し手をつくるためには、何度も繰り返し練習して、手指に覚え込ませるようにしなければなりません。そして、練習といっても、ただやみくもにたくさん鍼をうってもなかなか上手にはなりません。

・ツボをしっかりととらえる
・押し手をゆるめない

　この2点を意識して練習することが大切です。本章では、2パターンの鍼管のあて方を紹介しながら、よい押し手で刺鍼する基本動作と、練習方法をレクチャーします。

「鍼管ねじ込み型」の刺鍼

鍼管ねじ込み型の流れ

まずは「鍼管ねじ込み型」という方法で押し手をつくって刺鍼する手順を紹介しましょう。流れは次の通りです。

① 軽擦して、ツボをとらえる（ここまでの手順は2章にて紹介した通りです）
② 押し手をつくる
③ 鍼管をねじ込む
④ 刺鍼
⑤ 鍼管を抜く
⑥ 押し手を締める
⑦ 催気

①軽擦して、ツボをとらえる

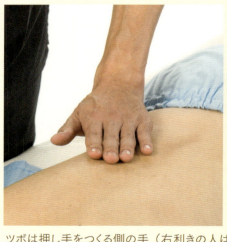 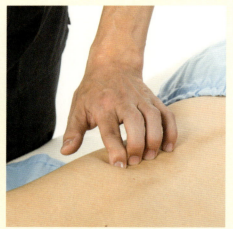

ツボは押し手をつくる側の手（右利きの人は左手）でよく探り、母指または示指でツボをとらえます。これらは、一連の動作の流れを止めることなく刺鍼まで持っていくためのものです。たとえば右手でツボを探せば、せっかく探りあてたツボも、左手で押し手をつくる段階で逃してしまう可能性があるからです。母指、示指で探りとらえるのも同じ理由です。

②押し手をつくる

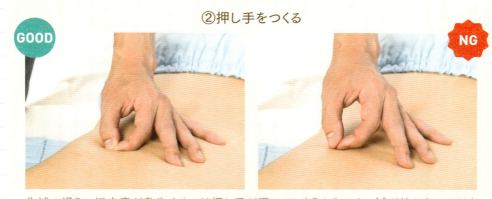

先述の通り、切皮痛が発生するのは押し手が浮いてしまうからです。鍼が効かないのはとらえたツボを逃がしてしまうからです。そうならないためには、この後の押し手、鍼管を立てる、刺鍼までの動作において、押し手がゆるまないようにすることが大切です。一見簡単そうですが、鍼管や刺し手に意識がいくと、すぐに押し手がゆるみます。何度も練習して、手指に覚え込ませることが大切です。

③鍼管をねじ込む

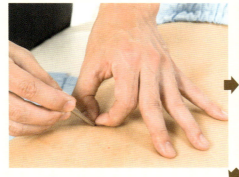 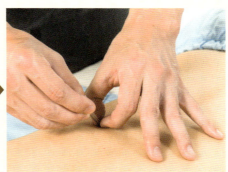

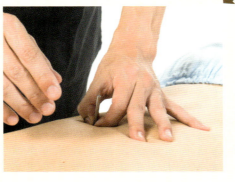

つくった押し手をゆるませることなく、鍼管を母指・示指の間にねじ込みます。意識は必ず押し手に向けたままにしてください。片手挿管や鍼管自体に意識がいくと、押し手がゆるみます。

④刺鍼

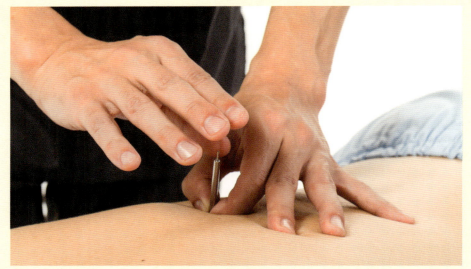

押し手をゆるめることなく、鍼をうちます。鍼をたたく方の手指に意識がいくと、押し手がゆるみます。

⑤鍼管を抜く

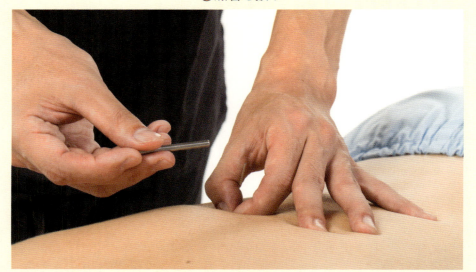

押し手をゆるめることなく、鍼管を抜きます。

⑥押し手を締める

鍼と押し手と皮膚の接している面がぴったりとなるように、押し手を締めます。こうすることで、気が泄れるのを防ぎます。

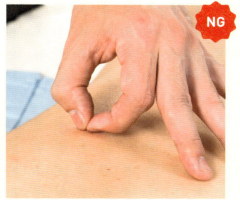

しっかりと押し手を締めている状態。　　押し手がゆるんでいる状態。

⑦催気

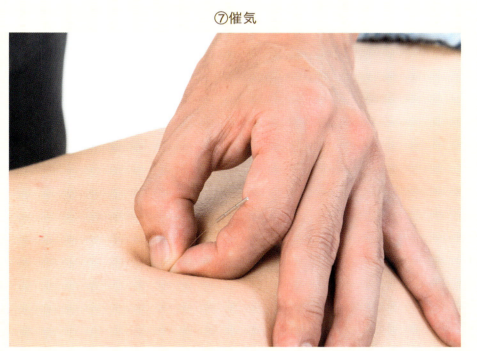

押し手の母指と示指の腹でツボの感触を感じながら気の至りを待ちます（気の至りについては4章で説明します）。

「押し手鍼管同時型」の刺鍼

押し手鍼管同時型の流れ

　初心者を指導していると、たとえ気をつけていたとしても、みなさん取穴から刺鍼までの間のうち、どこかで押し手がゆるんでいます。特にp.34～37の「鍼管ねじ込み型」の場合、肝心の鍼管をねじ込む際に、どうしても押し手がゆるんでしまうようです。これでは当然、痛い鍼、効かない鍼になってしまいます。

　そこでより簡便な方法として、「押し手をつくる」動作と「鍼管をねじ込む」動作を同時に行う方法があります。動作を分解すると、以下の流れになります。

① 軽擦して、ツボをとらえる（ここまでの手順は2章にて紹介した通りです）
② 鍼管をあてる
③ 押し手をつくる
④ 刺鍼
⑤ 鍼管を抜く
⑥ 押し手を締める
⑦ 催気

　鍼管ねじ込み型と異なるのは、鍼管をあててから、押し手をつくるという手順です。

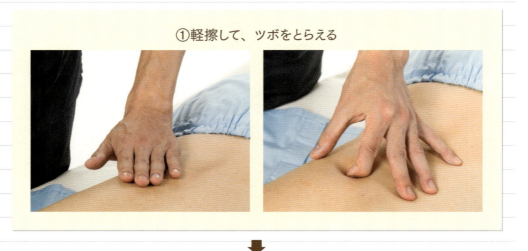

①軽擦して、ツボをとらえる

②鍼管をあてる

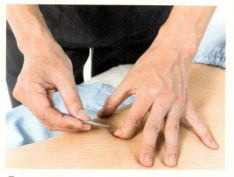

①でツボをとらえたところで、示指をゆるめずに鍼管を指先にあてます。

③押し手をつくる

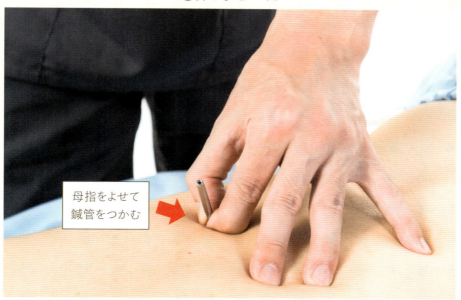

母指をよせて鍼管をつかむ

そのまま母指で鍼管を挟み込み、刺鍼の体勢をつくります。完成の形は鍼管ねじ込み型と同じです。この方法だと、取穴のときにとらえたツボを逃がすことなく鍼管を持つことが可能です。初心者で「ねじ込み型だとどうしても押し手がゆるんでしまう」という方は、こちらの方法で練習を重ねてみてください。

押し手のバランス

中指、薬指、小指で押し手を安定させる

押し手をつくるときに大切なのは、いうまでもなくツボをとらえる母指と示指ですが、他の3本の指（中指、薬指、小指）が遊んでいてよいわけではありません。取穴、刺鍼のために直接働いているのは母指と示指ですが、他の3本の指には押し手が安定するように、バランスを取る役割があります。

極端な言い方をすると、母指と示指の2本だけで押し手をつくった場合、患者さんの身体との接点が1点だけですから、鍼管を立てるにも、鍼を刺すにも不安定になります。

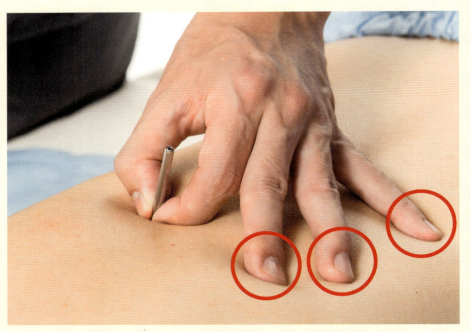

他の3本の指も身体にしっかりそえることで、安定した押し手ができます。
写真で見ていると、簡単なことのようですが、実際に臨床で鍼をうつ場所は平面ばかりではありません。手足などの曲面で3本の指を身体にそえるときも、母指と示指の上下圧がきちんとツボにかかるポジションになるよう、しっかり考えないといけません。

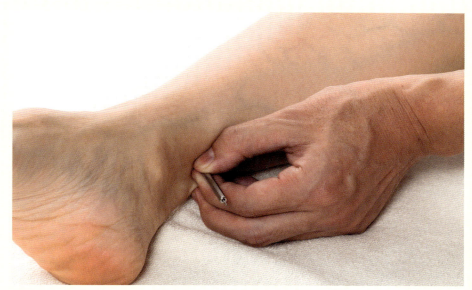

刺鍼しづらい場所でも母指・示指の圧がしっかりかかりつつ、その他の3本の指を身体に沿って支えられるよう工夫します。

広げた傘をイメージして

　母指・示指と、その他の3本の指との関係性は、広げた傘を地面に置いたようなイメージです。母指・示指は傘の柄の部分にあたり、しっかりと地面に重力がかかっている状態で、その他の3本の指も地面に密着して、柄を支えながら軽く重力がかかっています。このような絶妙なバランスを意識しながら、他の指を使いこなしてください。

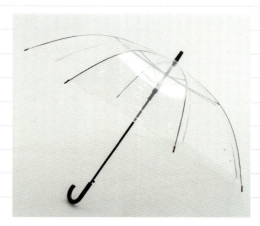
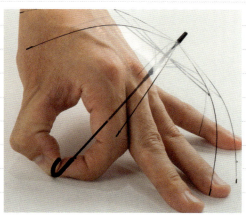

3章 PART. 5

TITLE.

押し手のチェックポイント

最初から最後まで

鍼を効かせるために忘れてはいけないポイントをおさらいします。

☑ ツボをしっかりととらえる

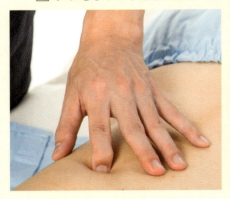

☑ ツボを逃がさずに押し手をつくる

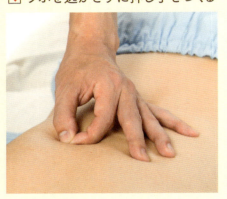

☑ 押し手をゆるめずに鍼管をツボにあてる

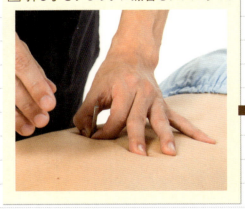

☑ 押し手をゆるめずに鍼をうつ

刺鍼時には特に、鍼をうつ手の方に意識がいき、押し手でツボをとらえるという意識が薄れ、押し手がゆるみます。そうすると、鍼管が浮いて鍼は痛くなるし、ツボを逃がしているので、効きが悪くなります。

☑ 押し手をゆるめずに鍼管を抜く

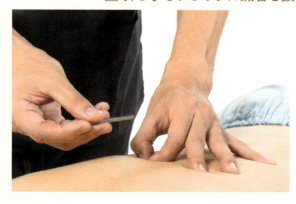

また刺鍼後、鍼管を抜く際にも押し手がゆるむので、注意が必要です。

☑ 押し手をゆるめずに、押し手の母指と示指の腹でツボの感触を観察する

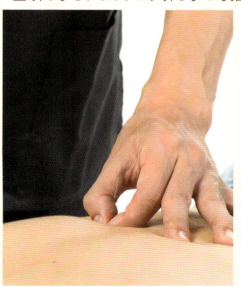

鍼を刺し、鍼管を抜いた後も押し手をゆるめてはいけません。母指と示指の腹でとらえたツボを逃がさないようにして、しっかりと左右圧をかけます。

このとき、母指と示指だけに力が入ると安定感がなく、ツボがしっかりととらえきれませんし、患者さんにも圧迫による苦痛を与えることがあります。残りの3本の指で母指と示指の圧を支えるようにすると、押し手が安定します。(補瀉にかかわらず、気が至ると、母指・示指の感触に変化が出ます。硬結がゆるむ、脈動が穏やかになる、皮膚表面が温かくなる、などです。その変化を感じとるためには、押し手はゆるめてはいけません。気の至りに関してはp.58～61を参照してください)。

　このチェックポイントを確認するととにかく、「取穴して、鍼をうち、気が至るまで、ツボをとらえて離さない」ことが大切だとわかるでしょう。鍼治療とは、その名の通りツボに鍼を刺して治すのですから、当然といえば当然のことです。途中でツボを逃がしてしまっては効きませんよね。すべての工程で、押し手をゆるめず、身体から浮かせないことを意識していれば、痛みがない効く鍼をうつことが可能になるのです。

ドリル10 板への刺鍼

目的 しっかりとした、ゆるまない押し手をつくる

レベル ★★★☆☆
目標 1日10本（週7回）

　繰り返しになりますが、よい鍼とは、「よく効いて、患者さんの主訴が治ること。そして、痛くない鍼」です。そのためには押し手が大切だと説明しました。

　初心者には柔らかい押し手より、しっかりした押し手をつくることが先決です。それには、繰り返しの練習が必要です。そこで板に鍼をうつ練習法を紹介します。

　まず、ホームセンターなどで板を手に入れます。種類にはこだわりませんが、バルサ材など柔らかいものは、鍼をうつ練習には向きません。大きさは手に収まりやすいものがよいでしょう。大きすぎても厚すぎても、手に納まりにくくなり押し手が安定しません。かまぼこ板くらいの大きさがベストです。鍼はステンレス1寸3分-0番ぐらいのものを準備しましょう。難しいようなら1番から始めます。

①押し手をつくり、鍼先を板にあてる

 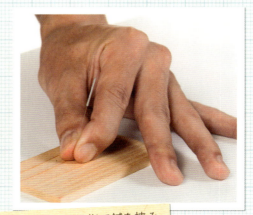

示指でツボをとらえたところで鍼を示指にあて、母指で鍼を挟みます（押し手鍼管同時型の刺鍼です）。本章で何度も解説してきた通り、母指・示指の圧がしっかりかかりつつ、その他の3本の指でバランスを取っている状態の押し手をつくってください。

②鍼を垂直に立て、直刺で鍼を板に刺す

捻鍼はせず、送り込みで刺してください。まっすぐ刺さないと刺入できません。

③鍼が立てば成功

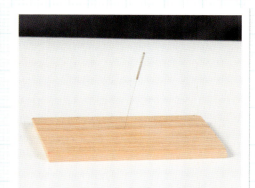

このドリルは、しっかりとした押し手をつくる際に必要な「上下圧、左右圧を固める」ための練習です。押し手で、上下圧、左右圧をしっかりとかけることにより、鍼が安定し、刺入しやすくなります。
野球やゴルフでもそうですが、きちんとフォームが固まると、成績がよくなります。

上達のコツ

無駄な力は抜いて、必要な圧をかけることが成功への近道

　鍼を立てようと一生懸命になると、力が無駄に入って、指先に力が入らず鍼が曲がる、といったことになります。肩、肘、手首の力を抜くと、指先に力が入りやすくなり、無駄な力も抜けて鍼が立てやすくなります。

ポイントは以下の3点です。
- 板に指を密着させる。
  　板は平らですから、十分に上下圧をかけないと密着しません。
- 鍼をまっすぐに固定する。
  　上下圧に加えて、左右圧を一定にしないと、硬い板に鍼は入っていきません。
- 肩、肘、手首の力を抜く。

たいへんよくできました。

ドリル11 タオルに刺鍼

目的 取穴から刺鍼までの手際を、手に覚えさせる
レベル ★★☆☆☆
目標　1日1回（10分）（週5回）

　鍼を刺すときは、手際よく正確に刺さなければいけません。そのために、基本的な技術を手に覚え込ませておきます。このドリルでは、タオルを使った押し手から刺鍼の練習法を紹介します。

①タオルを準備する

タオルは重ねて厚みと弾力性を持たせ、一定間隔に6〜8ヵ所、シールを貼ります。シールの部分をツボに見立てます。

②軽擦・取穴をする

撫でながら、手のひらでシールを感じ、示指でツボをしっかりととらえます（やり方は、p.20〜21ドリル7を参照してください）。

③押し手をつくる

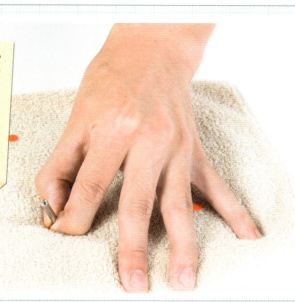

示指でツボをとらえたところで鍼管を示指にあて、母指で鍼管を挟みます（押し手鍼管同時型の刺鍼です）。ツボありきではなく、押し手をする側の手でツボを探りあてて、そこに鍼管をあてる流れを練習してください。

④刺鍼する

鍼頭を叩いて、刺鍼し、鍼管を抜きます。取穴から刺鍼、そして鍼管を抜くまで、押し手をゆるませないことを最も意識してください。

p.20〜21のドリル7「タオルで取穴」のステップアップバージョンとして取りくみましょう。

ドリル 12 自分の足に刺鍼

目的 痛くない鍼をうつための押し手の型を覚える

レベル ★★★☆☆
目標　1日1回(週5回)

　何度も強調している通り、痛くない鍼、効く鍼に共通して大事なのが、安定した押し手をつくるということです。その方法は解説しましたが、身につけるにはとにかく反復練習しかありません。ここではその練習方法をご紹介します。

　少しの空いた時間でも練習できる最適のモデルは「自分の足」です。休憩時間・電車の中・テレビを見ながらなど、手に押し手の型を覚えこませましょう。

① 座位で太ももを撫でまわす

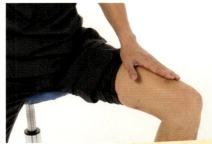

ツボを探るには、まず手のひら全体を使って、大きく撫でさすって、おおまかな感触をつかみます。ここでは、スムーズに手が動くように、手のひら全体が太ももに密着することを意識して撫でましょう。

② 示指でツボをとらえる

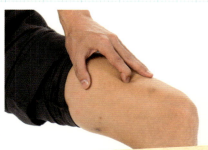

NG

撫でまわしながら、示指でツボをとらえます。その指をゆるめず、そのまま押し手がつくれるように、他の3本の指も太ももに密着し、安定させておいてください。

③押し手をつくる

示指に母指をよせてしっかりと押し手をつくります。このとき母指と示指だけに意識がいくのではなく、引き続き他の3本の指も太ももに密着し、安定させて押し手をつくります。

④刺鍼する

鍼頭を叩いて、刺鍼し、鍼管を抜きます。取穴から刺鍼、そして鍼管を抜くまで、押し手をゆるませないことを最も意識してください。

⑤鍼管を抜く

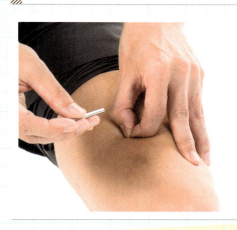

⑥催気

刺鍼後、鍼管を抜く際にも押し手がゆるむので、注意が必要です。また、補瀉にかかわらず、気が至ると、母指・示指の感触に変化が出ます。硬結がゆるむ、脈動が穏やかになる、皮膚表面が温かくなる、など変化をしっかりと感じとるためには、押し手はゆるめてはいけません。押し手の圧を自分の足で観察してください。

ドリル13 背中・手足の刺鍼

目的 臨床を想定して身体に刺鍼をする

レベル ★★★☆☆
目標　1日1回（週3回）

　人の身体は立体で弾力もあるので、押し手も机の上でタオルをさするようにはいかず、角度や力の入れ方など、さまざまな応用力が必要です。そのため、最初に人の身体で練習するときは、腹臥位になってもらい、背部で練習するとよいでしょう。背部は比較的平面に近く、範囲も広いので、軽擦・取穴・押し手・刺鍼の基本的な練習がしやすい部位です。

　背部の中でも、足の太陽膀胱経一行線上の経穴は、兪穴や背部兪穴とよばれ、臓腑に直結しています。経絡治療学会では置鍼を用いることが多いので、背部兪穴を目標に取穴・押し手の練習をしましょう。

　また、取穴のドリルでも紹介した通り、手足に関しても別途練習が必要です。手足は、平面ではなく、表裏があるので、ツボのとらえ方、押し手のつくり方もいろいろなパターンが必要です。肘から先および膝から先は、各経絡の五行穴があるので、経絡治療ではよく使います。各経絡の軽擦から取穴、押し手を何度も練習して、手に覚えさせましょう。

①マーカーでポイントを書き、背中の状態をつかむ

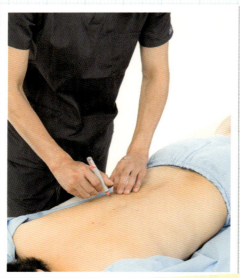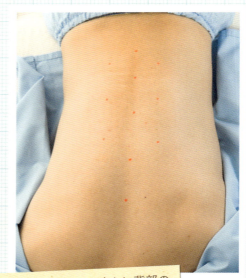

肩背部から腰部にかけて何度か大きく撫でて、おおまかに背部の状態をつかみ、マーカーで背部の経穴にポイントを書きます。慣れないうちは、まず督脈上に基準点をとると、左右がズレません。

② 示指で探りツボをとらえ、押し手をつくる

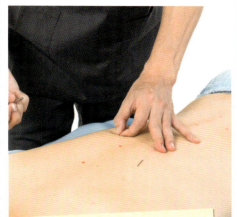

ツボをとらえたら、示指でしっかりツボをおさえて逃がさないようにします。示指に母指をよせて鍼管を挟み、しっかりと押し手をつくります。このとき母指と示指だけを意識するのではなく、他の3本の指も背中に密着し、安定させて押し手をつくります。

③ 刺鍼する

鍼頭を叩いて刺鍼し、鍼管を抜きます。取穴から刺鍼、鍼管を抜くまで、押し手をゆるめないことを最も意識してください。

④ 他のツボでも、取穴〜刺鍼まで行う

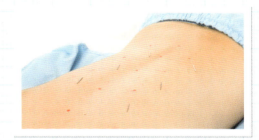

手足の刺鍼

同様に、手足のツボに関しても、押し手を意識しながら、取穴〜刺鍼までを行ってみてください。たとえば、腎経の取穴から押し手、脾経の取穴から押し手、胃経の取穴から押し手など、経絡ごとに行うと、さまざまな体勢での押し手の形を練習することができます。

p.28〜29のドリル9「背中・手足の取穴」のステップアップバージョンとして取りくみましょう。

刺鍼時の姿勢

姿勢が安定すれば、押し手も安定する

　鍼をうつときの姿勢はとても大切です。しかし、よい鍼をうちたいからといって、鍼をうつときの姿勢だけに気をとられていてはいけません。なぜなら、取穴から押し手までの流れの一貫した動作で、よい鍼をうてるかどうかが決まるからです。

　本章で強調していた通り、鍼をうつときには、安定した押し手をつくらなければいけません。安定したしっかりとした押し手だと、少々荒っぽいうち方をしても切皮痛はありませんし、その後の手技もうまくいきます。そして姿勢が安定すると、押し手や刺鍼も安定するのです。

　鍼をうつときの姿勢では、身体の中心で鍼をうつように注意してください。身体の中心、特に下腹の丹田の前で鍼をうつように心がけます。そうすれば、押し手も安定し、切皮や刺鍼、補瀉の手技もうまくいきます。

　まっすぐに立ち、丹田の前で押し手をつくり、肩、肘、手首の力を抜き、ゆるやかな円を描きます。

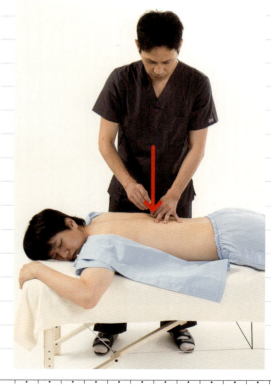

手の届きにくいところや、体勢が悪い場合でも、身体の中心軸を意識して丹田の前で鍼をうつようにします

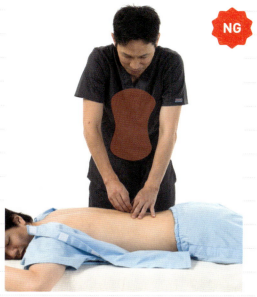

　これは太極拳などで、身体の前に輪をつくるときと理屈は同じです。
　站樁功（p.10〜11）のときに身体の前に大きなボールを抱えるように輪をつくりますが、このとき左右の中指は膻中の前の高さで、指先が触れるか触れないかぐらいにします。肩に力が入ってしまうと、ボールは潰れてしまいます。

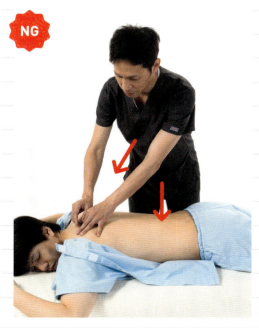

　この輪は太極拳などの基本姿勢の一つですが、身体の向きが変わったときでも、上半身の動きと必ず連動します。体幹にくっついて動き、別の動きをしないということです。
　刺鍼の際も同じで、押し手は必ず正中線上の丹田の前で、身体の向きが変わったときでも、常に丹田の前でつくるようにします。

上下がバラバラで丹田の前
に鍼がない状態

重心は下に

　鍼をうつときの下半身は、重心が下に垂直にかかるようにします。上半身に重心があると、前のめりの悪い姿勢になってしまいます。

下半身に重心がある状態

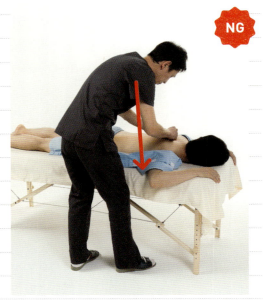

上半身に重心がある状態

　実際の臨床では、さまざまな体勢でうつことが求められます。上半身は特にそうです。ですから手だけで体勢の変化に対応するのではなく、臍下丹田の前に必ず押し手がくるように体勢をつくります。

　体勢によっては重心を左右どちらかにかけないといけない場合もあります。そのときでも、下半身から下の重心を安定させることが大切です。片側だけに重心をかける場合でも、重心をかける足をまっすぐにして安定させます。

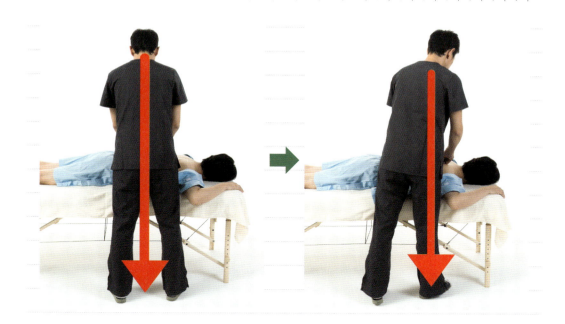

　鍼をうつときには、いつも直立というわけにはいきません。むしろ上体はひねった体勢になることが多いです。ですから下半身はなおさらどっしりとしていなければいけません。

3章

押し手の練習中

実践トレーニング
4章

鍼の効かせ方

　ここまでは、どんな治療にも役立つ実技指導を主軸に解説をしてきました。本章では、来院した患者さんに対しての実技の使い分けと、「気の調整」について解説します。経絡治療の基本である補瀉の考え方を臨床にどう生かすのか、説明していきます。

気の調整と補瀉の使いこなし

気の調節を習得する

ここまでは、鍼をいかに上手に、痛くなく刺すかという、実践的な方法や練習法を解説してきました。この章では、鍼の「効かせ方」を具体的に解説していきます。

経絡治療家にとって鍼の上手下手とは、気の調整ができるかどうかにつきます。つまり立てた証通りに、適切な選穴と手技（鍼を使うか灸を使うか、どんな鍼を使うか、どんな扱い方をするかなど）を使い分けて、気を的確に調整することができるのが上手な経絡治療家なのです。

鍼を効かすには、適切な「補瀉」と「気の至り」を習得しないといけません。

補瀉ってなに？

古典医学でいう病気とは、陰陽のバランスが崩れている状態であり、治療とはそのアンバランスの修正です。つまり鍼を効かせるということは、鍼でその陰陽のアンバランスを修正する、ということになります。

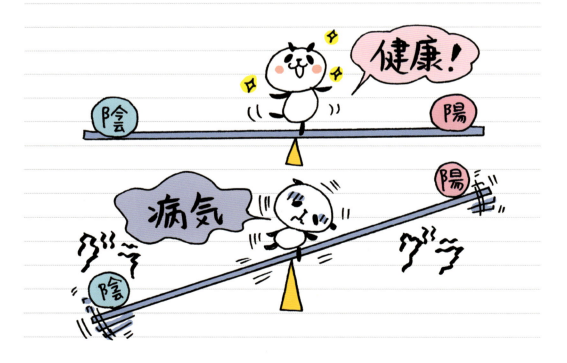

陰陽には、表裏・内外・臓腑・気血などいろいろな尺度がありますが、経絡治療では主に「経絡」のアンバランスを診ていきます。そしてバランスが崩れて不足しているものを「虚」、過剰になっているものを「実」と表現します。
　虚に対しては「補」という手技で不足している気を増やし、実に対しては「瀉」という手技で過剰にある気を減らします。

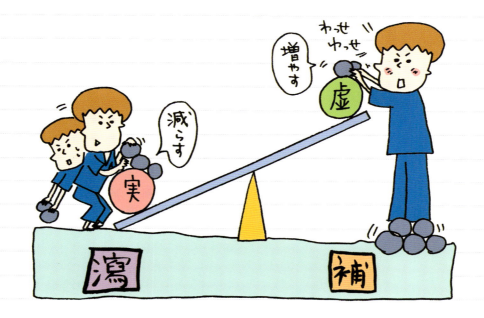

　つまり、鍼を効かすということは、「虚実の程度に応じて、適切に補瀉をする」ということなのです。
　私たちが臨床に用いている補瀉は、いくつかの手技の組み合わせによって成り立っています。すべての手技を常に使うのではなく、病理病症に応じた手技を選択することによって、適切な「補瀉」が行われて、治癒に導くことができるのです。

とっても難しい「気の至り」のタイミング

　虚をほどよく補い、実をほどよく瀉すことができるには、「気の至り」が起こるタイミングを知らなければなりません。虚実共に「気の至り」を感じたときが、鍼を抜くベストタイミングです。しかし、この「気の至り」の理解や習得が、実にやっかいなのです。

　「気」は現代科学では表現しづらく、スピリチュアルやオカルト的にとらえられがちです。しかし、古典医学が「気」という自然エネルギーがあることを前提に理論構成されている以上、ひとまずは気があるものと考え、その気を調整することを目標にしないと始まりません。

　それにしても存在しないかもしれない、自分には感じること、確認することができないものを、どのように操作し調整すればよいのでしょうか？

　よく
「気の至りって何ですか？」
「本治法をしているときに、何か感じているんですか？」
「気の至りがわかるようになるためには、何をしたらよいですか？」

などと質問されますが、これを言葉で説明することは難しいです。
　気の至りがわかるようになるには、技術的・理論的にさまざまなことが必要になります。しかし、かといって滝にうたれたり、山にこもるといった特別な訓練が必要なわけではありません。
　気を理解して操作できるようになるには、まず「気が動きやすい環境を整える」ことです。それは正しい姿勢・意識を持って鍼をうつことです。
　つまりここでも、「型をつくる」ことから始めるのが重要なのです。難しいことではありません。本書の1～3章に書いてあったことを、しっかりと身につけ、実行することが大切です。今までの解説は、気を操作できるようになるための指南でもあるのです。
　一連の動作をもう一度おさらいしてみると、

・姿勢よく立つ

・下半身に重心をおく

↓
・肩・肘・手首の力を抜く
↓
・押し手側の手で正しくツボを探る
↓
・よい押し手をつくる
↓
・よい姿勢、押し手で鍼を刺す
↓
・気の至りを待つ

という流れです。

この流れを正しく行うことが、気の動きやすい環境を整えるのです。

そのために、ここまで述べてきた大切なことをもう一度おさらいしてみましょう。

気の至りがわかるために必要なこと
①「ヘソの前で鍼をうつ」

　ヘソの前で鍼をうつように心がけるということは、下半身に重心を落とし、身体の正面・中央で鍼をうつということです。

　ヘソの前で鍼をうつためには、立ち位置や身体の向きを工夫しましょう。

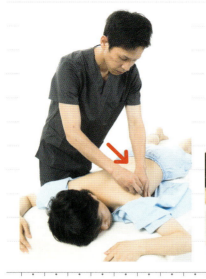
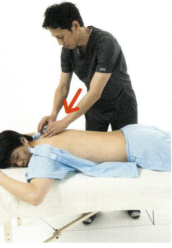

POINT
鍼をうつ位置が変わっても、必ずヘソの前で刺鍼するようにします。

②力を抜き、ゆるやかな輪をつくる

　肩・肘・手首の力を抜き、肩・肘・押し手・刺し手で、ゆるやかな輪をつくります。
肩甲骨も開き、ゆったりと無駄な力が入らないようにします。そうすることで指先に力が入ります。ドリルで行った站樁功（p.10〜11）のように、輪の中に気が充満するイメージです。

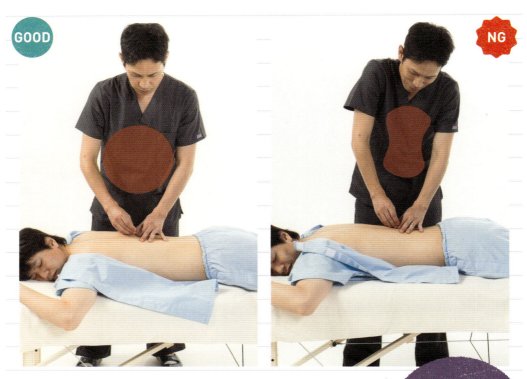

POINT
無駄な力が入ってます。肩が詰まっていてゆるやかな輪ができていません。

③指先に集中して腹式呼吸をする

　押し手を締め、指の腹に集中して、ゆっくりと腹式呼吸をします。
　==このときに注意して欲しいのは、決して「気を入れよう」としないこと。あくまでも私たちは気を動かす触媒として、患者さんの中の気を動かすきっかけとなるようにします。==
　気を入れるのは、気功のようなものですから、術者の持っている気の多少に左右されますし、身を削るようなものでおすすめできません。
　鍼灸臨床三大書の1つといわれている『鍼灸重宝記』には、

　　補のときは「五帝上真、六甲玄霊、気付至陰、百邪閉理」
　　瀉のときは「帝扶天形、護命成霊」
　　と、それぞれ三遍念じよ

とあります。
　この言葉自体にも意味はあるのでしょうが、指先に集中する手段と考えることもできます。気の至りを待つ間、指先に集中するために、「1、2、3、4、5……」と、ゆっくり数えてもよいでしょう。

④ツボの変化を、指の腹で診る

　しっかりと押し手を締め、指の先でとらえたツボの変化を感じ取るように意識を集中します。
　陥凹・硬結・寒熱・湿潤・脈拍の遅数などの変化があります。
　気が至ると、指下の硬結がゆるんだり、温かくなったり、ゆったりしてきます。この感覚は、人によっていろいろ違うようです。今まで聞いた中には「砂浜の砂が足元からサラサラと崩れていく感じがした」という面白い表現もありました。

経絡治療はイメージ

目に見えないものを組み立て、見積もるには

『日本鍼灸医学・基礎編』(経絡治療学会)には、経絡治療とは、

> すべての疾病を経絡の虚実状態として把握し、
> それを主に鍼灸を用いて補瀉し、治療に導く伝統医術である。

とあります。

経絡治療では、初心者はまず「どの経絡が虚しているか?」に着目します。中でも「臓の虚」に注目し、肝虚証・腎虚証・肺虚証・脾虚証という4つの基本証に分類し治療します。

経絡の虚実を診る脈診として「六部定位脈診」が採用されます。経絡の虚実のみにアプローチしますから、このときは補瀉の手技も基本的な組み合わせで対応します。しかし、より治療成績を上げるためには、より詳しく病気を診ていかなければなりません。つまり4つの基本証だけでなく、さらに細かく証分類する必要があります。

そうなると手技も単純に「補か瀉か」といった二択ではなく、「虚実の程度を知り、それにちょうどあう補瀉をする」というような、微妙なさじ加減が必要になります。

これには目に見えないものをイメージできる力と、それを実現できる力が必要です。まとめると、診察では、人の身体に現れた「病症」を、陰陽・虚実・寒熱・表裏・気血などに置きかえて、頭の中で「証」として組み立てます。そしてツボを決め、補瀉の程度を見積もります。治療では、数値化することのできない手技によって、その見積もりどおりに表現します。陰陽・虚実や補瀉の手技は数字で表せるものではありません。つまり、診察でも治療でも、どちらにも「イメージ」が大切なのです。

見えないものをイメージできるように助けてくれるのが脈診です。六部定位脈診・祖脈診・脈状診など、得られる情報が増えていくにしたがって、よりイメージが詳細で確固たるものになります。脈診については『よくわかる経絡治療脈診ワークブック』(医道の日本社)にて詳しく述べていますので、そちらを参照してくださいね。

気を感じる型

　経絡治療を身につけるには、「気を感じる」という重大かつ困難なミッションがあります。それをクリアする方法はとてもシンプルで、とにかく「鍼を正しくうつことを心がける」ということです。「気が感じられない」と相談されたときには、そうお答えしてきました。

　「そんなの信じられない！」と疑っている方は、太極拳を思い浮かべていただければよいと思います。太極拳も習い始めはその型や動きを覚えるのが精一杯です。しかし型を身につけ、正しく動けるようになっていくと、自然と呼吸法が身につき、姿勢や動作もよくなります。

　「気がわかるようになる」といわれる太極拳や気功、座禅は、気を感じる型を身体に埋め込むための手段です。それぞれの型を身につけることで気がわかるようになります。鍼の型を身につけることも、同じことが言えるのです。

PART. 3

補瀉の手技を学ぼう

オーダーを実現できるか？

　鍼灸の難しいところは、正しい東洋医学的診断ができ、治療計画が立てられたとしても、そのオーダーどおりに鍼がうてなければ、全く意味がありません。たとえば、漢方薬であれば、診察をして処方が決まれば治療は終了ですが、鍼灸にはその先があるのです。

　大切なのは、虚実寒熱などの変調に対して、イメージどおりに補瀉ができるように手技を選択し実現することです。そのためにも自分の鍼がどのように効いているかを理解する必要があります。イメージに合う、微妙なさじ加減で調整できるように、補瀉の手技を分類します。

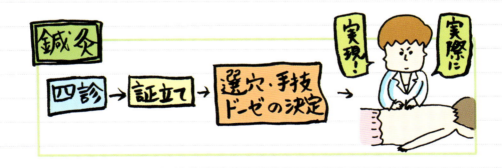

『日本鍼灸医学・基礎編』（経絡治療学会）では、下記のように補瀉に関する手技が10種類紹介されています。

⑦以降は補瀉の手技というより、気を至らせる方法といってよいでしょう。そのため、本章ではこれから、①〜⑥について実践的な内容と絡めながら解説していきます。

鍼の手技に関しては、さまざまな流派が複雑な手技を紹介していますが、すべては補瀉の領域を越えるものではありません。基本的な手技の組み合わせが特殊な手技になるのです。基本を押さえずに、難しい手技をまねしても病気は治りませんよ！

PART. 4

補瀉の手技①大小

大小の意味

虚実の状態や程度に合わせて、鍼の長さ、太さ、材質を選別して用いる使い分けを大小とします。私の治療院でも、鍼の長さでは1寸、1寸3分、1寸6分、2寸を、太さでは00番（かすみ）から0、2、4、5番を用意しています。また、材質はステンレス、銀、金を使い分けています。

〈鍼の長さ〉

長さについては、「深浅」の項で改めて述べます。

〈鍼の太さ〉

鍼は、細いものはより柔らかく繊細な手技ができ、太くなるにつれ気血を動かす力が強くなります。ですから虚や急性疾患には細い鍼が、実や慢性疾患には太い鍼のほうが向いているということになります。

ただし、全体の元気、熱証寒証の程度、局所の虚実などを総合的に判断して、使用する鍼を決めます。ファーストチョイスとしては、細いものから選択するほうがよいでしょう。当院では、本治法には寸3かすみ（長柄鍼）、背部置鍼は寸3の0番、腰部などの硬結には程度によって1寸から2寸、2〜5番を使い分け、灸頭鍼もやります。

〈材質〉

材質にもいろいろありますが、ステンレス→銀→金と材質が軟らかくなるにしたがって、陽気を補う力が増していきます。ただし金や銀は取り扱いが難しく、より高い技術が必要です。

かつては、金鍼は補法で銀鍼は瀉法というように使い分けていた時代もありましたが、現在では銀鍼も補法に使っているようです。これは全体の手技の中での、相対的なものとして理解すればよいと思います。金と銀を使い分けるときは、金が補で銀が瀉、銀とステンレスを使い分けるときは、銀が補でステンレスが瀉、と考えればよいでしょう。

当院では普段は使い勝手のよいステンレスを用い、虚の程度がひどい人には銀の

2番や金の10番（鍉鍼として）を用いています。ただし前述したように、高い技術が必要であり、しかも虚弱な人が対象となるので、きちんと補いきれないと、治すどころか悪化させかねません。

　ちなみに、私は、小児鍼にも金の鍉鍼を用いています。小児鍼は肌を面で刺激するので、特にあたりの柔らかさが大事です。プラスチック製のディスポーザブルもありますが、それよりはステンレス、銀、金の方が柔らかい刺激を与えることができます。

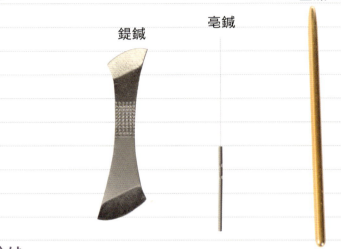

使い分け

　身体の元気、病気の動き、局所の虚実によって使い分けます。

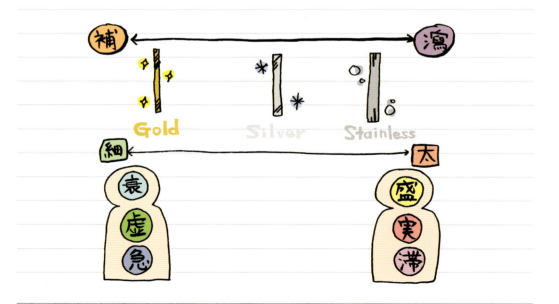

補瀉の手技②迎随

迎随の意味

〈迎〉

「迎」は経絡の流れを迎えるように鍼を刺す手技です。実を瀉すときの手技で、特に気の流れが過剰になっているときに用います。川でいうと、流れが激しくなっているときに、流れに逆らうことで、せき止め落ち着かせます。

鍼を刺す角度は、45〜60度ぐらい。極端に傾ける必要はありません。

肝経や腎経など、深く刺さなければいけないときは、気の虚よりも形の虚ですから、必ずしも迎随にこだわる必要はありません。

〈随〉

「随」は経絡の流れる方向に沿って鍼を刺す手技です。虚を補うときの手技で、特に気の流れが不足しているときに用います。

川にたとえるなら、チョロチョロ流れが弱くなっているときに、流れに沿うことで、流れを助け大きくします。

鍼を刺す角度は、迎に準じます。

使い分け

気の巡りが悪いとき、外邪など邪実の強いときに用います。

補瀉の手技③深浅

深浅の意味

基本的に鍼を刺すときは、病の深浅に応じて刺鍼の深さを決めます。

〈浅〉

鍼を浅く刺すということは、陽部（表・外）に鍼を作用させるということです。表に病変があるときは、頭痛・項背痛・腰痛・発熱・悪寒などの表症があります。

また同じ表症でも、太陽経に病変があるときは、頭痛・発熱・悪寒などの症状があり、少し奥まった少陽経に病変があるときには、胸脇苦満・嘔気・往来寒熱などの症状があるというふうに、病の深浅によって病症が変わってきます。

鍼の深さもそれに応じて変えていきます。

〈深〉

深く刺すということは、陰部（裏・内）に鍼を作用させるということです。裏に病変があるときは、内熱・動悸・便秘などの症状があります。

使い分け

病症の部位や病理によって、鍼の深さを調節します。

補瀉の手技④出内

出内の意味

「出内」とは、鍼の出し入れを「徐(ゆるや)か」にするか、「疾(はや)く」するかを調節する手技です。この手技に関してはさまざまな説がありますが、「病理病症をイメージして、それにマッチした手技を選択する」と考えれば、そう難しくありません。

〈徐〉

「徐」という手技は、ゆっくりと動くことです。目的点に達するまでの気血も一緒に動かします。また逆に「身体が弱った状態であるから、損傷を少なくするためにゆっくり丁寧に扱う」という意味で用いることもあります。

〈疾〉

「疾」という手技は、素早く動きます。いち早く目的点に達し、それまでの気血に影響を与えにくいです。これを念頭に置いて、病理病症に合う手技を組み合わせます。

補瀉と出内

出内の補瀉も「徐疾」の組み合わせで語られることが多いです。つまり入れるときにどう入れるか？ 出すときにどう出すか？ という使い分けです。

〈補〉

刺入はゆっくりと(徐)、抜鍼は素早く(疾)します。
弱っている補うべき場所にはゆっくりと気を乱さないように刺入し、気が至れば、せっかく補った気を泄らすことのないように、すばやく抜鍼します。

〈瀉〉

刺入は素早く(疾)、抜鍼はゆっくり(徐)します。
邪実のある瀉すべき場所にはすばやく到達させ、気が至れば、気を鍼にのせて外に運ぶように、ゆっくりと抜鍼します。

使い分け

気を留めたいか、動かしたいかによって出し入れの速さを調節します。

PART. 8

TITLE.

補瀉の手技⑤呼吸

呼吸の意味

　「呼吸」も出内と同じで、刺鍼時、および抜鍼時におけるタイミングの手技です。鍼の刺入を患者さんの呼気に合わせるか、吸気に合わせるか？　抜鍼を呼気に合わせるか、吸気に合わせるか？　です。

〈呼〉
　患者さんが息を吐くときは、陽の発散する気が働き、外向きの力が働きます。つまり、なるべく気を外向きに動かしたい手技は、息を吐くときに行います。

〈吸〉
　逆に息を吸うときには、陰の収斂する気が働き、内向きの気が働きます。気を内向きに動かしたい手技は、息を吸うときに行うとよいでしょう。

補瀉と呼吸

　特に抜鍼時の呼吸に注目します。たとえば補法は、気を補い内に留めたいわけですから、患者さんが息を吸うときに鍼を抜き、気を内に留めることを助けます。
　瀉法は、気を外に泄らしたいわけですから、患者さんが息を吐くときに鍼を抜き、気を外に泄らすことを助けます。

〈補〉
　補うときは虚損の大きいときに呼吸を用います。たとえば、お腹がぺちゃんこの人に、自転車の空気入れで空気を入れ、ふくらんできたら抜こうとするが、泄れてはいけないので、息を吸う瞬間に抜く……というようなイメージです。

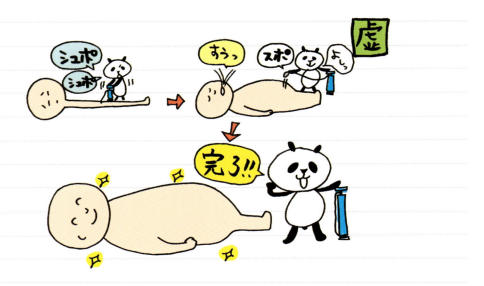

〈瀉〉

　瀉すときは邪実など泄らすべき気のあるときに用います。

　たとえば、お腹がふくらんでいる人を上から押して空気を抜こうとします。ある程度抜けてきたら、またふくらもうとしないように、吐く瞬間に抜く……というイメージです。

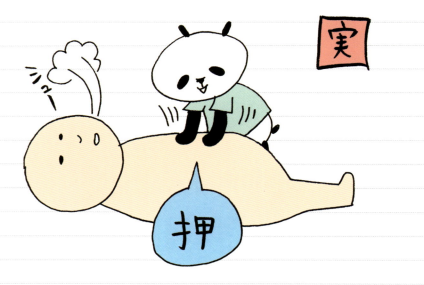

使い分け

　気を外向きに動かしたいか、内向きに動かしたいかで、呼吸にあわせて刺入・抜鍼します。

補瀉の手技⑥開闔

開闔の意味

開闔は抜鍼時に使い分ける手技です。鍼を抜いたときに押さえずに開く手技（開）と、穴を押さえ塞ぐ手技（闔）を使い分けします。

開闔という手技について、多くの本では、

開 ＝ 瀉

闔 ＝ 補

と説明されています。

しかし、できれば単純に補瀉で分けるのではなく、「気が至った後、その気をどのようにしたいか」で使い分けるように考えた方がよいでしょう。

単純に経絡の虚実を補瀉するというだけではなく、よりよい治療（早く治る、よく治る）を望むのであれば、手技も細やかに分類して意味づけし、病態に合わせて組み立て、使い分けるようにしましょう。

〈開〉

瀉の手技に分類され、「ゆっくり抜鍼して、穴を広げるようにしてあとを閉じない」という方法です。これは、余分な気を外に泄らすためです。

「開」という手技は穴を開くことにより、集めた気を体外に泄らします。ですから、実の中でも熱や停滞が過ぎて、泄すべき実の多い陽実（外邪）に用います。逆に実でも陽虚や内傷からきたもので、停滞や熱による実の少ないものや、陽虚に傾いた陰実には、必ずしも開ける必要はありません。

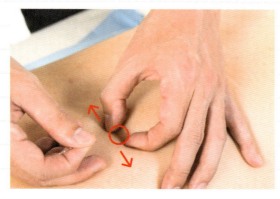

広げて、閉じない

〈闔〉

　補の手技に分類され、「すばやく抜鍼して、急いでその穴を按じ閉じる」という方法です。これは、気を泄らさず、内に留めるためです。

　「闔」という手技は穴を閉じることにより、集めた気を体外に泄らさないようにします。特に元気の虚（陽虚）のときなどは、気を泄らさないように丁寧かつ慎重に用いるべき手技でしょう。また実のときでも、陰実で表の陽気が足りていないときは、外に気を泄す必要がない、もしくは泄さないほうがよいので、鍼孔を閉じた方がよいでしょう。

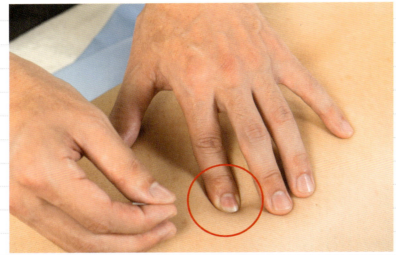

穴を閉じる

使い分け

　表に陽気が旺盛で気を泄らしたいときには開を、陽気が少なく気を留めたいときには闔を用います。

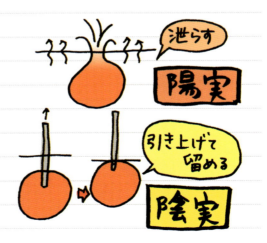

「瀉」と「寫」

　経絡治療では実に対する「瀉」の手技の中に、「瀉」（もらす・泄す）と「寫」（うつす・移す）があるといわれています。主に「瀉」は泄すべき実の多い陽実に用い、「寫」は陰陽の偏在がある陰実に用います。この「寫」は「輸瀉」とも言います。

　「開闔」という手技は、この瀉と寫の使い分けにも大きな役割をしています。泄すべき「実」は鍼孔を開きます。一方、陽気を陰の部から陽の部に移すだけの「実」は鍼孔を開きません。

催気(さいき)

鍼を動かす手技で、気を至らせる

　補瀉ともに「気の至り」が大切で、そのために気が動きやすい環境を整えるというお話をしました。気の動きというのは、患者さんの体質や病気の性質によって違います。気の動きが悪いときに、鍼を操作する手技を加えることで、気が至りやすくなります。気を至らせる手技のことを、「催気」と言います。このパートでは、催気の使い分けを説明します。

　ただし、ここで紹介するすべての手技に言えることですが、押し手がゆるむとツボを逃して鍼は効きません。鍼体を操作することに意識を集中するあまり、押し手がゆるむようなことがないようにしましょう。

催気のための手技

①揺動

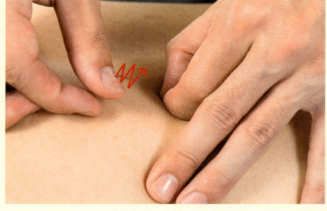

鍼を刺しても、気の至りが遅く、充分でないときに、鍼柄を弾き揺らすことで、気の至りをうながします。

Example
気の流れが悪い場合に用います。

②捻転

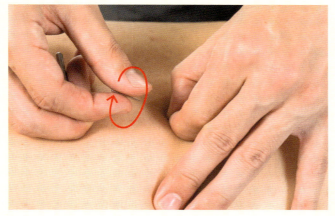

刺鍼後、鍼を回旋することで、気の至りをうながします。
虚の陥凹に対して、気を集めるように回旋します。<mark>気が至ると鍼が重くなります。</mark>患部の硬結に対しても用います。

Example
腎虚で臍下の力が抜けているときに、関元に用います。
実の硬結に対して、硬結を散らすように回旋します。

③雀啄

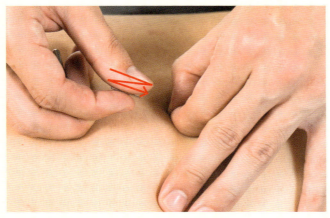

虚実にかかわらず硬結を目標に刺鍼し、雀啄することで気の至りをうながします。硬結の表面まで刺鍼し、<mark>鍼を細かく雀啄することで、硬結を和らげます。</mark>

Example
深部の熱の停滞、瘀血、慢性疾患による硬結などに用います。

病理に合わせた手技の組合せ

実際の治療でどう使うのか

　ここでは、陰陽虚実の病理ごとに、実際にどのようにp.69〜78で説明した補瀉の手技を組み合わせたらよいのかを解説します。各項目別に、重要度が低いもの（重要度が△マークのもの）は必ずしも意識しなくてもよいでしょう。病理については、実践方法の指南書である本書では詳しく解説はしないので、『図解よくわかる経絡治療講義』（医道の日本社）を読んで理解を深めてください。

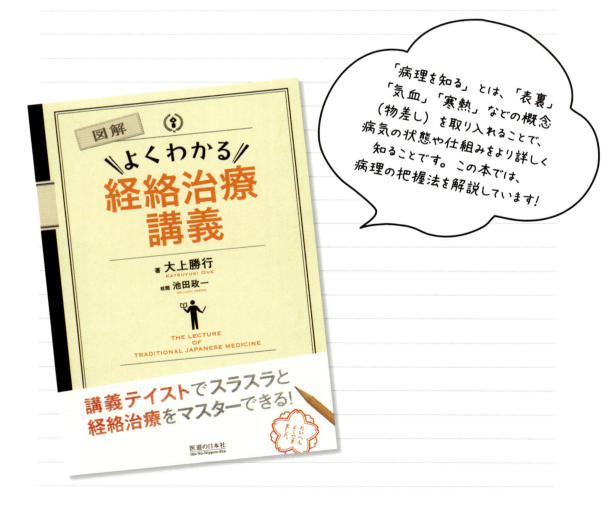

「病理を知る」とは、「表裏」「気血」「寒熱」などの概念（物差し）を取り入れることで、病気の状態や仕組みをより詳しく知ることです。この本では、病理の把握法を解説しています！

陽実

陽の部位における気の停滞ですから、瀉して陽気を泄らすようにします。

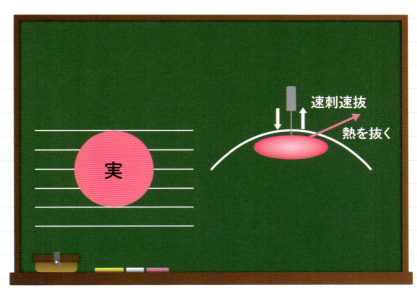

陽実

重要度		大小
△	小	表部なので、太い鍼は必要ない。
		迎随
○	迎	流れに逆らって刺し、過剰な流れを落ち着かせる。
		出内
○	内→疾	陽の部位の熱は動きやすいので、早く刺入する。
○	出→疾	陽の部位の熱は動きやすいので、早く抜鍼する。
		深浅
◎	浅	表部なので、深く刺す必要はない。
		呼吸
△	内→吸	実に対しては、息を吸うときに刺入する。
◎	出→呼	気を出し切るために、息を吐くときに抜鍼する。
		開闔
◎	開	停滞した陽気を泄らすため、鍼孔は開く。

陽虚

陰陽ともに虚していますから、気が泄れないように補います。

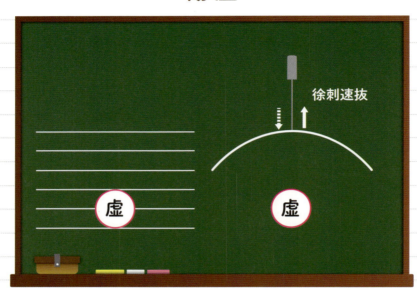

陽 虚

重要度		大小
○	小	陽虚なので、太い鍼は刺激が強く不適。
		迎随
○	随	流れに随って鍼を刺し、気の流れをうながす。
		出内
△	内→徐	元気がないので、気を散らさないよう、ゆっくり丁寧に刺入する。
○	出→疾	気が至れば、鍼を抜く。気を留めるため早く抜鍼する。
		深浅
◎	浅	陽虚なので、深く刺すと刺激が強すぎる。
		呼吸
△	内→呼	虚に対しては、息を吐ききったときに刺入する。
◎	出→吸	気を留めるために、息を吸うときに抜鍼する。
		開闔
◎	闔	補った気を泄らさないよう、鍼孔は閉じる。

陰虚

血や津液の形あるものを補います。

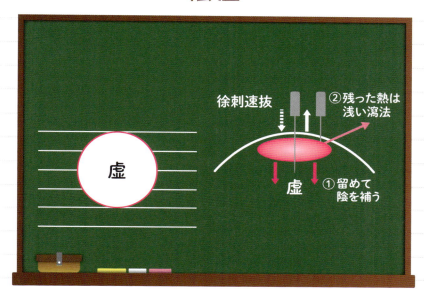

重要度		大小
△	大	陰を補うので、やや太めでもかまわない。
		迎随
△	随	流れに随って鍼を刺し、気の流れをうながす。気を補うときほど、こだわらなくてもよい。
		出内
△	内→徐	気を入れるように、ややゆっくり刺入する。
◎	出→疾	気が至れば、鍼を抜く。気を留めるため早く抜鍼する。
		深浅
◎	深	陰を補うので、やや深く刺す。
		呼吸
△	内→呼	虚に対しては、息を吐ききったときに刺入する。
◎	出→吸	気を留めるために、息を吸うときに抜鍼する。
		開闔
◎	闔	補った気を泄らさないよう、鍼孔は閉じる。

陰実

瘀血や水滞など、深部の停滞を解消します。この瀉法は輸瀉や、さんずいのない「寫」と表現されます。

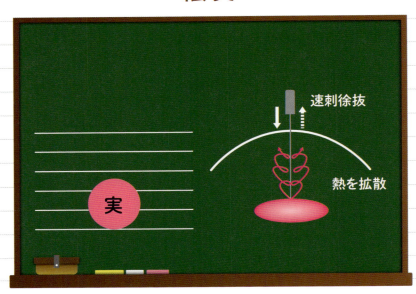

陰実

重要度		大小
○	大	陰部の停滞なので、やや太い鍼を用いる。
		迎随
△	随	流れに随って鍼を刺し、気の流れをうながす。気を瀉すときほどこだわらなくてよい。
		出内
△	内→疾	表部は虚していることもあるので、患部に早く届くように早く刺入する。
◎	出→徐	気が至れば、鍼を抜く。陰部の停滞を拡散するので、ゆっくり抜鍼する。
		深浅
◎	深	陰部の停滞なので、深く刺す。
		呼吸
△	内→吸	実に対しては、息を吸うときに刺入する。
△	出→呼	気を表に出すために、息を吐くときに抜鍼する。
		開闔
○	闔	表部は虚していることもあるので、鍼孔は閉じて気が泄れないようにする。

まずは背部置鍼から

　経絡治療には、いろいろな治療スタイルがあります。単刺のみで置鍼をしない人や、本治法も背部にも置鍼を用いる人もいます。
　随証療法の原則からも、量質ともに必要以上に鍼をうたないことは理想です。原則論からいえば「気の至り」がわかるように単刺でいくべきとなりますが、初心者にも受け入れやすくするためには置鍼がいいということになります。ですから私はその間をとって、本治法は単刺、背部兪穴には置鍼という方法を選択しています。
　私の指導は、本書や『よくわかる経絡治療脈診ワークブック』にも書かれているように、基本から曖昧な点のないように進めていますが、それでも感覚や経験に寄るところが多く、習得に時間がかかります。「気の至り」か「背部置鍼」かといえば、圧倒的に気の至りを感じるほうが難しいです。
　ですから刺鍼ができるようになった人には、気の至りを感じるトレーニングとともに、背部置鍼をマスターするように指導しています。
　背部は肩甲間部・背部・腰部と、鍼灸治療受診の主要疾患である、肩こり・腰痛の治療部位でもあります。つまり背部の虚実に応じて取穴ができ刺鍼できれば、浅い置鍼でも肩こりや腰痛を緩和することができるのです。また背部兪穴は臓腑とも結びついており、背部の虚実を整えることでも臓腑の調子を整えることに繋がります。
　背部兪穴がきちんと取穴でき刺鍼できれば、調子がよくなり、つらい症状も楽になります。そうすれば、患者さんは続けてきてくれます。ただし、もっとややこしい疾患になると、やはり脈が診られて本治法がきっちりできる方が治療成績は上がります。本治法で充分に結果が出せるようになってきたら、少数穴治療に進む道もできます。
　「背部置鍼で食えている間に脈診・本治法を磨け」ということです。

ドリル 14 気の至りを感じる

目的 気の至りを感じられるようになる

レベル ★★★★★
目標　1日1回（週3回）

　鍼を効かせるためには、まずツボにきちんと鍼を刺せないといけません。そして鍼が効いたことを判断するためには、気の至りを感じる必要があります。

　気の至りを感じるようになるためには、訓練と時間が必要です。その感覚を知るためには、基礎的な技術をきちんと習得して、その上で繰り返し練習し、臨床経験も積んで、やっと感じるようになってきます。

　基礎的な技術というのは、何度も伝えている通り

- しっかりとした押し手をつくること
- ツボをとらえて逃がさないように鍼をうつ

ということです。このドリルは、「気の至り」を感じられるようになる練習法を紹介します。

①患者モデルに側臥位で寝てもらう

下側の足は伸ばし、上側の足を曲げると、ツボがわかりやすくなります。

②志室を探りあてる

多くの人は、志室に硬結があります。これをねらいます。ツボを探るときは、まず体幹に向かって垂直に押圧します。しこりのようなものを感じたら、少しずつ角度を変えて押さえ、ツボをとらえます。一番ツボを感じることができる角度が、鍼管をあて鍼を刺す角度です。

③押し手をつくって鍼管をあて、鍼管を抜いて30秒間待つ

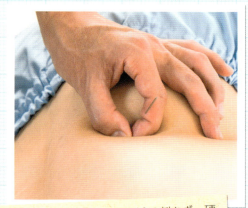

しっかりとツボをとらえたら、その指をゆるめずに押し手をつくります。鍼は刺さず、硬結にあてるぐらいの感じで鍼管を抜きます。鍼管を抜いたあとも、押し手の母指と示指の腹でツボをとらえ、逃がしてはいけません。臨床では鍼を刺したほうが効く場合ももちろんありますが、ここは気の至りを練習することが目的ですから、あえて刺さずにあてるようにします。鍼先はツボにあたった状態で、母指と示指でツボの変化を観察します。

④ツボの変化を観察し覚える

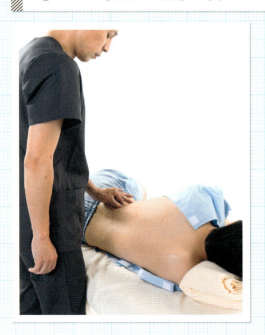

押し手はしっかりと安定させ、ツボはとらえて逃さないようにしますが、あまり「硬結を取ってやろう」と力んだり気負ったりせず、30秒そのままツボを観察します。自ら何かをしようというのではなく、何かが起こるのを待ち観察する心持ちです。

鍼をあてツボを観察していると、母指と示指でとらえているツボの感触が変わってきます。

「柔らぐ」「しっかりしてくる」「温かくなる」「熱感がなくなる」「脈動が落ち着く」などの変化を観察して覚えてください。これがいわゆる「気の至り」というものです。

この感覚は同じ人の同じツボでも、術者によって感じ方は違うようです。ですから自分の感覚を信じて、ちょっとした変化でも感じるよう注意してください。

最初から明確に感じることは難しいかもしれませんが、まずは型どおり練習してみてください。

呼吸と痛くない鍼の関係

　余談になりますが、痛くない鍼をうちたい人は、患者さんの呼吸に合わせるとよいです。背部置鍼をするとよくわかりますが、患者さんが息を吸うと背中が盛り上がり、息を吐くと背中が平坦になります。鍼を痛くなく刺すには、息を吐いて平坦になったところを狙います。鍼をうとうとする下向きの力と、息を吸って盛り上がってくる上向きの力がかち合うと痛い鍼になる可能性が高くなります。

　もう20数年前になりますが、弟子時代に師匠の娘さんに治療をする機会がありました。小さい頃から鍼を受けている彼女は、背部置鍼のときには鍼をうつのに合わせて、自然に息を吐いていました。患者さんのほうが経験上身体で覚えて、術者に合わせてくれてたんですね。

実践トレーニング
5章

手技の選択

本章は応用編として「浅い鍼」以外を使った治療法を紹介していきます。1〜4章の内容が理解でき、習得できたと感じたら読み進めてください。基本を習得したうえで、臨機応変に使い分けることができてこそ、鍼名人の道が開けていきます。

いろいろな手技

陰陽のアンバランスを整えるその他の手技を知る

　経絡治療は「浅い鍼での治療」というイメージを持っている方が多いでしょう。人体には体表面だけではなく、臓腑・皮毛血脈肌肉筋骨・内外・深浅など、あらゆる部位を経絡が網羅しています。そのため、体表面に出てきている経絡に刺鍼をすることで、身体の奥の病変にも効かせることができるのです。

　病気とは身体のアンバランスであり、それは陰陽のアンバランスです。陰陽のアンバランスは、経絡の補瀉で調整します。経絡は身体中を走行し、網羅しているからです。身体のアンバランスは必ず経絡上に出るのです。

　しかし、だからといってすべて浅い鍼で事足りるのでしょうか？　答えは、「必ずしもそうではない」です。

　慢性的で固定した疾患、坐骨神経痛・股関節痛・五十肩などは患部や深部への刺鍼が効くこともあります。実際に経絡治療以外の流派には、深い鍼によって好成績をあげている例も多くあります。古典鍼灸がすべて浅い鍼ということではなく、古典鍼灸の中興の祖である柳谷素霊も深い鍼を用いていました。

　基本的には浅い鍼で経絡の虚実を補瀉する。それをきちんと理解した上で深い鍼やいろいろな鍼法を用いるのがよいでしょう。経絡治療を充分に理解し、補瀉の基本手法を身につけ、その上で他流派の手技を取り入れることをおすすめします。

　最も気をつけなければいけないのは、どのような手技であれ経絡治療家がうつすべての鍼は、「虚実に対する補瀉」というアプローチでないといけないという点です。そうしないと、証をたてるという行為が意味のないものになります。

　陰陽のアンバランスを整える上で、深い鍼や、その他の手技が必要なときにはそれを用いればよいのです。

　本章では、まず臨床の現場で使えるいろいろな手技について紹介していきます。

PART. 2

鍼を使った手技

散鍼

経穴にこだわらず、患部に単刺で行います。いわゆる「痛みがあるところ」「悪いところ」に刺す方法ですが、ただ鍼をうつだけではいけません。==患部の虚実寒熱などを考慮して、深浅・開闔などを組み合わせて、補瀉を使い分けて行います。==

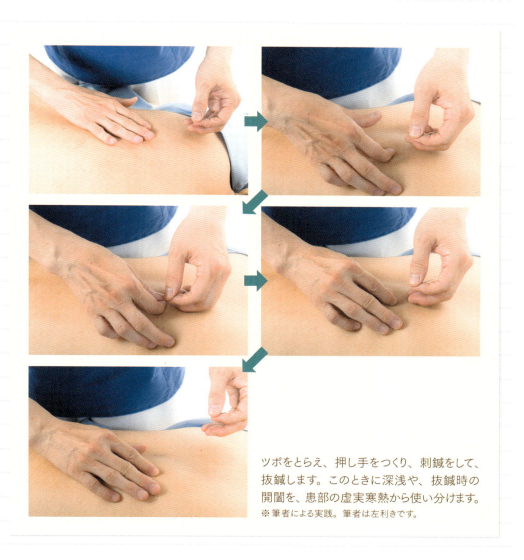

ツボをとらえ、押し手をつくり、刺鍼をして、抜鍼します。このときに深浅や、抜鍼時の開闔を、患部の虚実寒熱から使い分けます。
※筆者による実践。筆者は左利きです。

置鍼

　鍼を刺して一定時間留めておく方法です。「気を補い続ける」という意味があります。鍼を留めるので、気の至りを感じることが難しく微調整がしにくいという欠点がありますが、手技を簡素化しつつも、効果を得やすいという利点があります。
　==一般に血・津液といった「形」あるものを動かすことに向いています。そのため、慢性疾患や体質的な病気で活用します。急性疾患や衰弱時には向きません。==

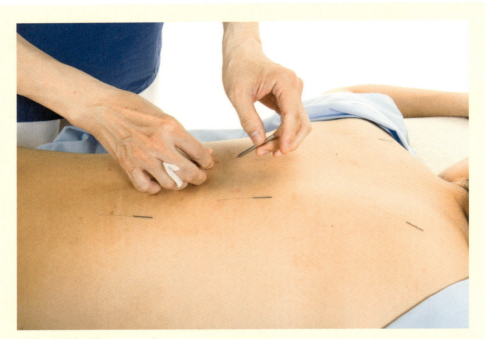

背部の置鍼の様子。※筆者による実践。筆者は左利きです。

接触鍼

鍼を刺入しないで患部や経穴に接触させ補瀉します。衛気や陽気を動かします。表部の疾患や症状に用いたり、鍼に対して非常に敏感な人や、陽虚がひどく、わずかな陽気が飛ぶようなことがあってはいけないときに用います。表部も経絡によって深部の臓と連絡されており、接触鍼だから効きが悪いというものではありません。接触鍼のみで効果をあげている治療家も多くいます。

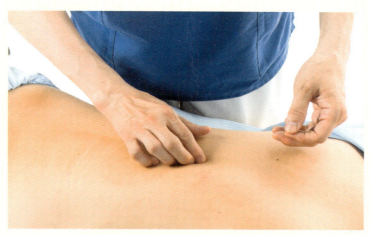

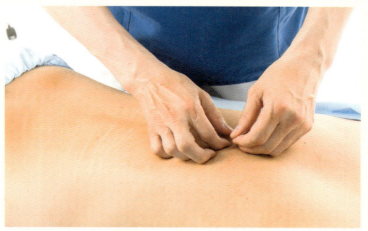

ツボをとらえて、鍼を皮膚に触れさせ、すぐに外します。
※筆者による実践。筆者は左利きです。

長鍼

「経絡治療は浅い鍼だけを使う」と思っている人も多いですが、これは間違いです。経絡は表部の浅いところを流れていることが多いので、多くの場合、浅い鍼で十分に対処できるということなのです。

陰実がひどいときや、深部の気血の停滞に対して深く長い鍼をうつこともあります。坐骨神経痛など患部の硬結が深いところにあるときにも用います。

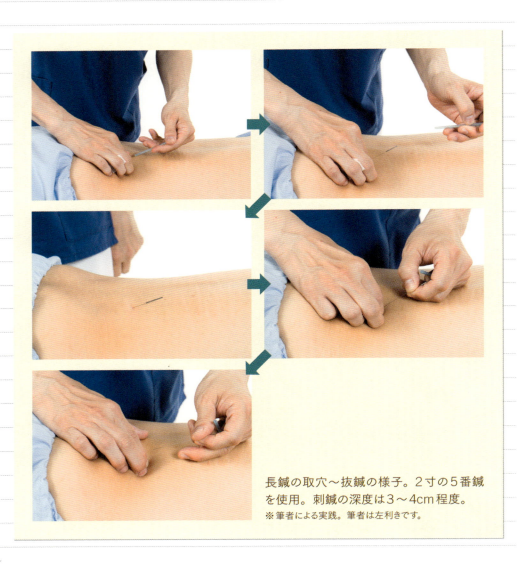

長鍼の取穴〜抜鍼の様子。2寸の5番鍼を使用。刺鍼の深度は3〜4cm程度。
※筆者による実践。筆者は左利きです。

小児鍼

　ヘラ状や棒状の器具を使って、表部の面を対象に刺入せずに刺激します。乳幼児は肌も敏感なので、鍼を刺入しなくても皮膚刺激だけで十分に効くのです。肌表面の寒熱・湿燥・ざらつきなどを均一化させるように刺激します。
　成人でも汗が漏れやすい、冷えやすいなど、表虚の人に用います。

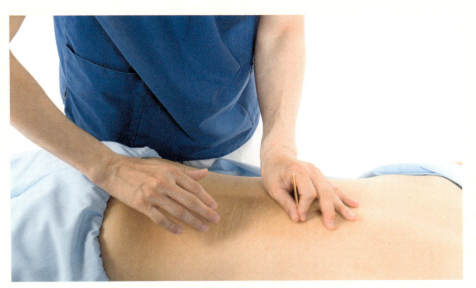

金鍼の接触鍼。鍼を持つ側の手で、押し手の形をつくる。
※筆者による実践。筆者は左利きです。

ヘラを使った接触鍼。※筆者による実践。筆者は左利きです。

灸を使った手技

灸で気の流れを正常化する

==灸は、鍼と比べて、補瀉の手技が明確に分かれているわけではありません。==虚実にかかわらず、硬結を目標に用います。虚しているときには経絡中の気の流れが悪くなり、滞った部位がツボとして現れます。実しているときには、停滞充満した気がツボとして現れます。==灸ではこれらの硬結を和らげ、解消することで、気の流れを正常化します。==

基本的に灸によって「火を加える」ということは、「温める」ことになり陽気を補います。つまり、灸の利点は、気が飛ぶ、気が泄れるなどの失敗が少ないということです。

炎症性の疾患には多壮灸が効果を発揮します。麦粒腫・歯ぐきの痛みなどには、曲池に熱がしみ通るまで据えると有効です。

透熱灸

まずは灸の基本、透熱灸の据え方の手順を解説します。

透熱灸の流れ

①ツボに灸点紙を貼る

最近は灸痕に敏感な患者さんも多いので、灸点紙を活用します。ツボのとり方は2章（p.17～）に準じます。

②もぐさを揉む

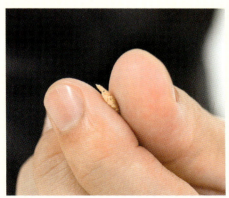

良質もぐさを柔らかく揉みます。さらに、半米粒大から米粒大にひねり、艾炷をつくります。

↓

③艾炷をたてる

患部にピンポイントにしっかり密着させるために、画びょうを壁の一点に刺すイメージで、艾炷をたてます。

↓

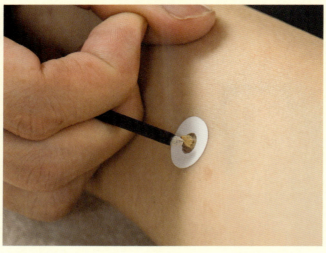

④線香で火をつける

火をつけた艾炷はすべて焼き切ることも、8分程度で留めることもあります。

⑤指で火力を調整する

熱すぎるようであれば、母指と示指で艾炷をかこみ火力を調整します。

⑥痕を押さえる

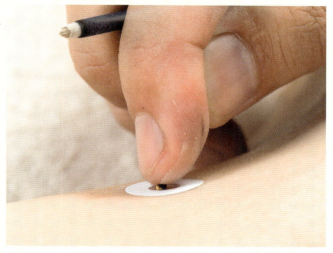

焼き切るときは、燃え尽きると同時ぐらいに指頭で痕をゆっくり押さえます。熱が奥にしみ通るようなイメージで、押さえます。

↓

⑦繰り返し据える

硬結の消失、緩和を目標に繰り返し据えます。5壮ずつ、患者さんに様子を聞きながら据えていきます。始めは皮膚表面が熱く感じますが、だんだん感じにくくなり、硬結が和らぐと、また熱さを感じるようになります。

温灸(知熱灸)

　温灸にもいろいろな種類があります。私が用いている温灸は、粗悪もぐさを高さ約1cmの円錐に揉み固めたものです。表の部の硬結、特に面で硬く水っぽいところに据えます。火をつけて8～9分程度燃やし、軽く発赤した頃合いを見て取り除きます。患部にうっすらと汗をかかせます。

　<mark>温灸の手技自体は火を加えるという補法ですが、結果として汗をかかせて陽気を泄らすので瀉法になります。温灸はゆるやかな瀉法で、失敗が少ないです。</mark>

　もぐさは、灸頭鍼用よりワンランク上ぐらいのものを目安に選んで使っています。粗すぎると熱くなりすぎるし、もぐさが固まりません。細かすぎると早く燃えつき温まりにくいです。ジワーッとゆっくり熱が染みこむような温灸がベストです。もぐさの質、揉み方をちょうどよくなるように工夫する必要があります。

①もぐさを手に取る

もぐさを適量手に取ります。強く揉み固めるので、多めに取ります。

②揉む

左右の母指と示指で、おにぎりを握るように回しながら強く揉みます。1cmの円錐型の艾炷ができます。

③硬結にチェック

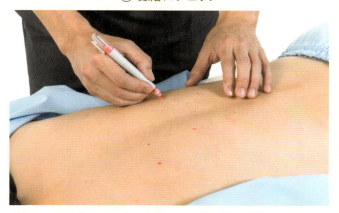

あらかじめ、灸点ペンなどを使って、数ヵ所の硬結にチェックを入れます。

④順番に据えていく

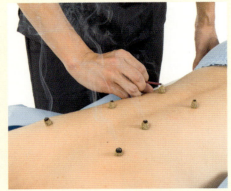

チェックをした硬結に、順番に艾炷をのせ、点火をしていきます。

↓

⑤8～9割ぐらいで取る

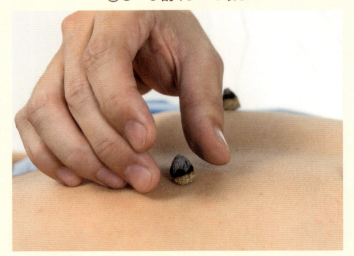

8～9分程度燃焼したら、母指と示指でつかんで、取り除きます。すぐそばに水が入った容器を用意しておき、燃えかすを捨てます。マグカップが持ちやすく、便利です。

灸頭鍼

　灸頭鍼は、主に陰実などで深部に気血の停滞ができたときに、硬結を目標に用います。深部の気血を動かし、鍼柄につけたもぐさを燃やすことで、深い鍼によって表の陽気が損なわれることを防ぎます。

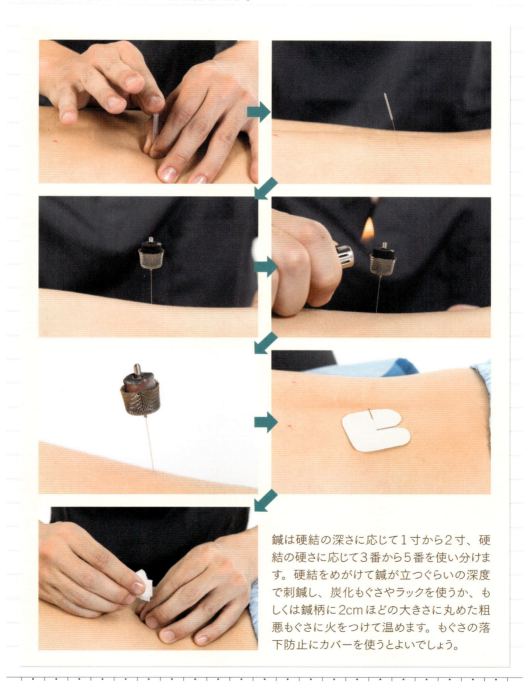

鍼は硬結の深さに応じて1寸から2寸、硬結の硬さに応じて3番から5番を使い分けます。硬結をめがけて鍼が立つぐらいの深度で刺鍼し、炭化もぐさやラックを使うか、もしくは鍼柄に2cmほどの大きさに丸めた粗悪もぐさに火をつけて温めます。もぐさの落下防止にカバーを使うとよいでしょう。

ちょうどよい温灸

　当院に弟子入りすると、最初の仕事は掃除・受付・ベッドメイクです。そうしながら、空いた時間で温灸もぐさを揉みます。温灸もぐさは大きさ・固さを均等にしておかないと、火をつけたときに均等に燃えてくれません。また柔らかく揉んだもぐさは、すぐにほぐれて使い物になりません。ちょうどよい温灸もぐさが揉めるようになるのに、だいたい3ヵ月ぐらいかかります。

　そのうち慣れてくれば、温灸もぐさを据えるようになるのですが、ちょうどよい燃え具合で取れるようになるには時間がかかります。8〜9分ぐらい燃えたところで取るのですが、早すぎたり遅すぎたりします。

　患者さんもそう感じているようです。ジワーッと熱くなってきて、「ああ、もうダメ」という寸前ぐらいに取ってくれると後がすっとするのですが、最初はなかなかうまくいきません。

　そうこうしてベテランになってくると、取るタイミングも絶妙になってきます。あるお弟子さんは「もぐさの燃え方が変わる」とか「もぐさが取るタイミングを教えてくれる」といっていましたが、雰囲気でわかるようになるんですね。そうなると患者さんも満足し、「気」にも敏感になり鍼も上手になります。

実践トレーニング
6章

実際の治療

　最後に全体像として、当院で行っている治療の流れや、臨床で生かせるようなトラブル対処法を簡単に紹介していきます。患者さんをよく治せる鍼をうつ治療家になるための参考として、ぜひご活用ください。

実際の治療

　実際の治療では、いわゆる精気の虚を補うだけの本治法だけでなく、寒熱の波及した部位の補瀉、患部の補瀉、背部兪穴の補瀉を行います。

　数ある経絡治療の流派の中には、本治法からすべて置鍼する人、すべて単刺で行う人、一部を置鍼する人などいろいろです。

　ここでは、私が普段行っている本治法に伴う補瀉は単刺、背部は置鍼というやり方を紹介します。最後に臨床に則したアドバイスとして、トラブル対応についても少しだけお話します。

　※本章では筆者が臨床を実演しています。筆者は左利きです。

問診

証をたてる

　問診といっても、だらだらと問診票に沿って上から順番に質問をしていくのではありません。「証をたてて治療するために、経絡・経穴・手技を決定する」ことが目的ですから、主訴を分析し、身体の中がどのような病理状態になっているかを推測しながら、可能性をあげ、ひとつひとつ潰して、正解を導き出します。

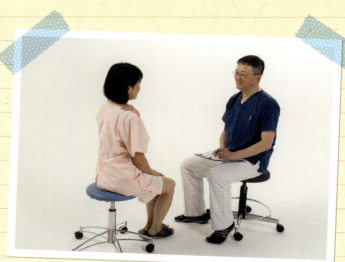

問診時に切診を除く、その他の四診法（望診・聞診）もあわせて行います。望診は主に患者の顔色、雰囲気などをみます。聞診は患者さんの臭い、声のトーンなどを診ます。

② 切診

問診後、もしくは並行して脈診・腹診・切経を行います。

脈診

脈診は、問診でたてた証を確かめるように診ていきます。臓腑の虚実はもちろんですが、病症に対してたてた見立てが正しいかどうかも確認します。たとえば、患者さんの喘息を肺実証と見立てたときは、右寸口の脈は当然「沈・実」でなければいけません。このときに脈が浮いて虚しているようだと問診でたてた証も信用がおけません。見直しが必要です。

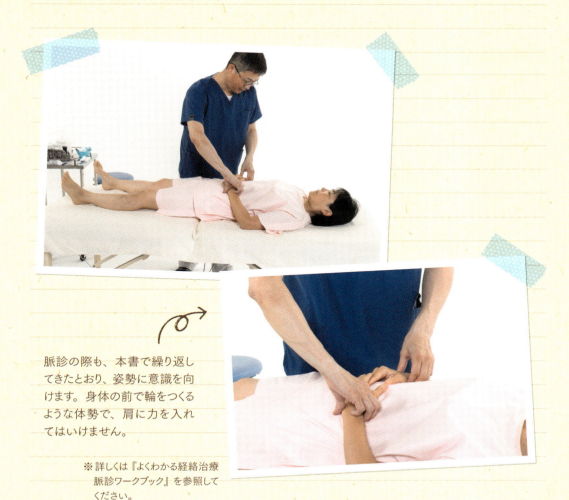

脈診の際も、本書で繰り返してきたとおり、姿勢に意識を向けます。身体の前で輪をつくるような体勢で、肩に力を入れてはいけません。

※詳しくは『よくわかる経絡治療 脈診ワークブック』を参照してください。

腹診

　腹部は脈と同じで、身体の中の気血の状態が現れます。ふくよかで柔らかみがあり、かつ弾力があるお腹をよしとします。健康な赤ちゃんのお腹を想像していただければよいでしょう。

　ここでも、問診・脈診との整合性を確認します。基本的に四診で得た情報は一致します。もちろん、体質・急性慢性・難病などの要因で一致しない場合はありますが、情報が一致しないときには、まず自分の診察技術を疑って、見直すことが大切です。

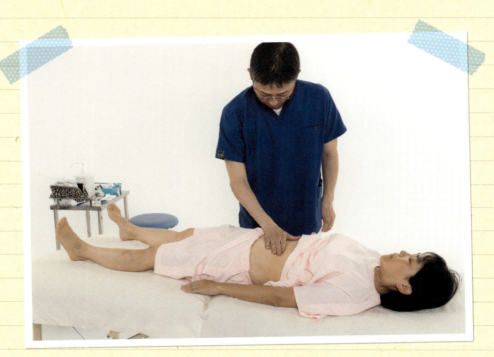

腹診をするときは、まず手のひら全体で大きく触れ、患者さんに安心感を与えます。そしてやさしく大きく全体を診ていき、慣れてくるに従い、硬いところと柔らかいところの境界や、胸下、みぞおち、鼠径部など、敏感なところを診ていきます。

切経

切経は経絡に実際に触れ、寒熱・乾湿・硬軟・圧痛などをみます。このときもまずは手のひら全体で大きく経絡を撫でさすり、患者さんに不快感を与えないとともに、おおまかなあたりをつけてから細かく診ていきます。

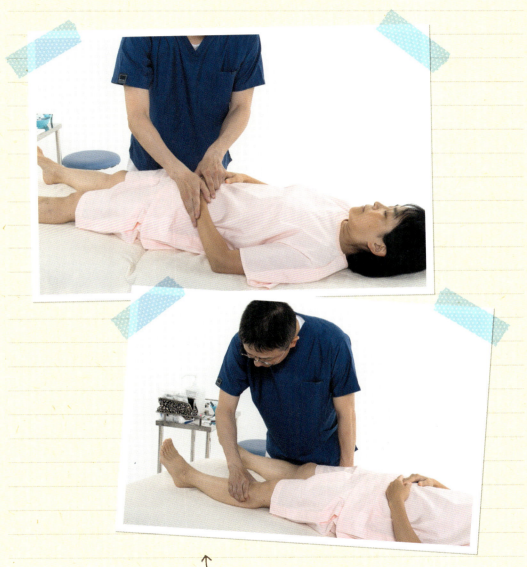

大きく撫でさすったあとに、細かく診る。
しっかりと圧を入れて触診をします。

③ 本治法

　四診によって証を決定したら、経絡の虚実の調整をします。これを本治法と言って、虚実に応じて補瀉します。

　本治法は手足の要穴を用いて調整します。単刺で気の至りを感じながら鍼をうちます。

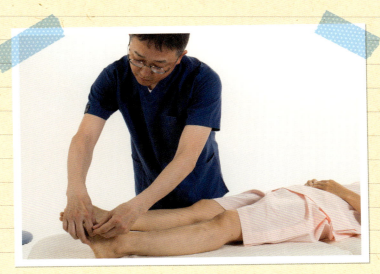

すべての刺鍼において取穴は大切ですが、本治法では特に大切です。ツボをとらえ逃がさないようにして鍼を刺しましょう。

気の至りを特に意識するのではなく、母指と示指でとらえたツボの変化に神経を集中させましょう。
四診で得た情報から、選穴・手技のプランを立て、イメージ通りの鍼が実現できるようにします。

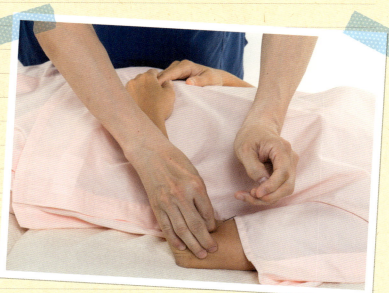

背部置鍼

　背部にも虚実寒熱など身体のアンバランスが現れます。これを調整するために背部兪穴に刺鍼します。置鍼することが多いです。

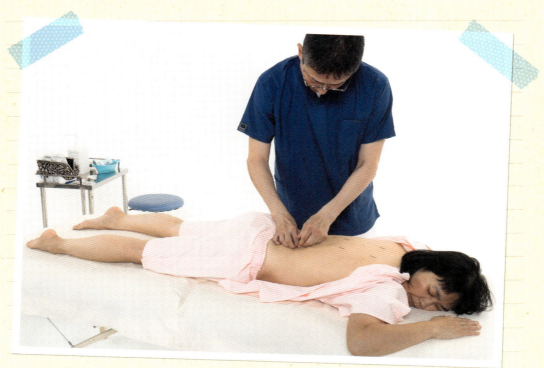

 まず大きく撫でさすり、陥凹・硬結・隆起・寒熱・乾湿など、身体全体のアンバランスをおおまかにとらえ、最適なツボを探します。

⑤ 最終調整

背部置鍼後、まだバランスの取れていない部位を鍼や灸で微調整して終了です。

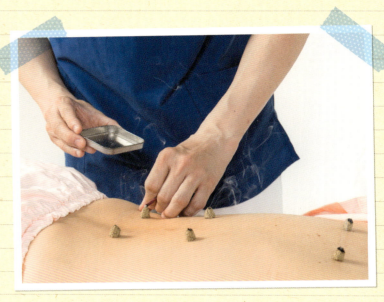

置鍼で整いきらなかったところを、状態に応じて、鍼や灸で調整します。

肩こりなど首から上の症状には、側臥位で胸鎖乳突筋から頚部にかけてのこりに刺鍼します。接触から切皮程度の鍼で、あまり多く刺鍼しません。

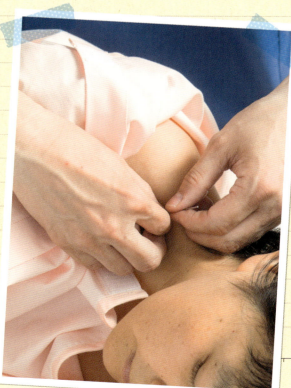

誤治について

　最後に、臨床の現場で発生しがちな診察の誤りや、トラブルについて、解説します。ここまで本書では、初心者でも型に沿ってできる治療手順と練習法を紹介してきました。しかし、少し慣れてきたぐらいが一番治療で誤る危険性が高いです。もしものときにあわてないように、心に留めておきましょう。

誤治をしないために

　経絡治療をすすめるポイントのひとつとして「鍼が浅い」ということがあげられます。浅く刺すということは、気胸・折鍼などの事故が少ないということです。

　また鍼が浅いと刺激が少ないので、鍼が苦手な人、初めて受ける人にも安心して受けてもらえる、というのも売りのひとつです。

　浅くて本当に効くのか？　という人もいますが、筋肉や神経を刺激するのではなく、気の流れを改善するために経穴・経絡を目標に治療するので、深く刺す必要が少ないのです。

　しかし、浅いから安全ということではありません。浅い鍼でも経絡や気に作用するのなら、気の流れがうまく整えば諸症状が改善します。しかしそれは裏を返せば、整わない、もしくは乱すようなことをすると、症状を悪化させたり、予期せぬ症状が出てくるということです。

　「気を操作する」ということ自体とても難しいのですが、少しできるようになってくると、予期せぬ事態に遭遇します。

「浅い置鍼で、腰が抜けて起き上がれなくなった」
「本治法をされてから、動悸が止まらなくなった」
「治療後、のぼせ上がって、頭がガンガンする」

　これらは、「やや気が動かせるようになったものの、操作が十分にできない」という段階の治療家に多く起こります。たとえるなら、暴れ馬にのるようなもので、馬の力を生かしきれていないのです。しかし上級者でも、気に敏感な患者さんや、難しい症状を診るときに起こすことがあります。

初診時の対応

細心の注意を払わなければいけないのは、初診の患者さんです。鍼に対する感受性や、証の取り違い、見落としなど、把握できないことも多々あります。そうならないためには、次のことに気をつけてください。

①強い刺激を避ける
深さ、鍼数、刺激は、なるべく少なめ、軽めから。様子をみながら増やしていきましょう。

②上半身の刺激は少なく
上半身への刺鍼、置鍼は少なくしましょう。上半身への刺激が多いと、のぼせて、動悸・ふらつき・吐き気・頭痛などの症状が出ることがあります。

③「8分(ぶ)」の治療を心がける
私たちの仕事は患者さんのつらい症状を治すことです。しかし、症状を治すことに一生懸命になるあまり、やり過ぎて悪化させてしまうことがあります。初診の患者さんは、あとからどのように変化するかわかりません。手を抜くのではなく、控え目にして様子を見ましょう。

誤治の対応

経絡治療のような浅い鍼でも、間違った治療や雑な治療をすると、治癒に導くどころか、動悸・ふらつき・悪寒・吐き気・頭痛など、治療前にはなかった症状が出ることがあります。

多くの場合は、未熟な診察による証の取り違えであったり、鍼の技術が未熟なために、適切な補瀉ができなかったために起こります。

また患者さんの持病や、治療とは関係なく症状がでてしまう場合もあります。

そのようなことはない方がよいですが、万が一起こったときは、次のことを参考にして行動してください。

患者さんの症状が悪化するなど、不測の事態に陥ったときの対処法

①まず落ち着く

あわててその場限りの対応をしても、大抵よいことにはなりません。心の中ではドキドキ、あせっていても、表に出してはいけません。まずは、患者さんの顔色や呼吸のしかたなどに目を配り、しばらく様子を見れば落ち着きそうか、緊急性はないかを判断します。血圧や脈拍を測ってもよいでしょう。

もし緊急だと判断した場合は、病院に連れていく、救急車を呼ぶなどして、適切な処置ができる人にお任せするのも大切です。何でも自分で処置しようとすると、取り返しのつかないことになります。救急車を呼ぶのは、治療院の評判に傷がつく、恥ずかしい、などの気持ちもあり躊躇するものですが、患者さんにとって何が最善かを考えれば、おのずと答えは出るでしょう。

最初の対処の仕方が後々に響くことがあります。患者さんは自分が苦しんでいるときに、鍼灸師の先生がどのように対応してくれたかを覚えています。その場限りの保身を考えずに、患者さんのために行動しましょう。

②患者を楽な姿勢にさせる

腰痛や動悸があるときは、背臥位や腹臥位により、症状を悪化させることがあります。楽な姿勢をとってもらい、しばらく休んでもらいましょう。休むだけで軽減することも多いです。あせってあれこれ鍼をしても逆効果になることが多いので、自信がなかったら休んでもらい、様子を見ましょう。

落ち着いたら脈を診ておきましょう。腰痛があるということは、痛みで脈が緊張しているでしょうし、動悸があるときは脈は数になっています。

休んでもらって、これらの脈が和らいできたということは、症状も和らいでいるということになります。

脈が和らいでくるぐらいが、再び治療をする目安です。和らいでこないようなら、やはり他の処置（救急車を呼ぶまでいかなくとも、病院に連れて行く、家族に迎えに来てもらうなど）が必要でしょう。

③再治療

症状や脈が落ち着いてきたら、病勢が衰えてきたということです。立て直しのチャンスです。ただし、来院時の何もしていない状態ではなく、一度崩してしまったものを立て直すので、非常に難しいです。

鍼数、刺鍼深度、置鍼時間などは、極力少なめから入り、患者さんの様子を見ながら繊細な鍼をします。

PART. おわりに

TITLE.
台本を読み込んで名優に

　本書は患者さんに対面して鍼をうつための台本のようなものです。手前味噌ですが、非常にいい台本なので、この通りやるだけでも以前よりいい治療ができるようになると思います。

　しかし、おなじ台本でも名優がやるといきいきと観客に伝わりますが、大根役者が演じると台無しになるように、結局は演じる皆さん次第なのです。しっかり読み込んで、身体に染みこませ、身につけ、いいものを積み上げていってください。

**　作家は結局、自分の核を中心にしてその周囲を付け足しながら、成長して作品を仕上げていくことしかできない生き物なのだ。**

『少年の名はジルベール』（竹宮惠子）より引用

　治療家も同じで、身につけたものしか実際の臨床では役に立たないのです。

　医術の秘法というのは、誰にでも教えるものではなく、伝承するに値する後継者を見いだしたときのみに伝えるものだと言われています。医術は人の命をあつかうため、能力のない者や、お金や名声に目が眩んでいるような者には伝えるな、という戒めが、『素問』や『傷寒論』に記載されています。

　ですから特に技術や口伝は、誰にでも教えてはいけないという人もいます。しかし私は聞かれたら、その人のレベルに応じてですが、包み隠さず教えるようにしています。なぜかというと、「その人次第」だからです。ポイントを教えても、それを身につけるには、考え、理解し、練習し、経験を積まないといけません。言われたとおり実行する人もわずかです。しかし、そのわずかな人だけでも本質をつかんでくれればいいと思って教えています。

　昨今の鍼灸業界は、技術が見えにくい時代で、デコレーションにばかり目が行きがちです。少しでも本当の技術者が増えて、少しずつでも業界がいい方向に行くことを望んでいます。

2017年12月吉日
おおうえ薬局治療院　大上勝行

〈参考文献〉

大上勝行 著．図解 よくわかる経絡治療講義．医道の日本社，2014
大上勝行 著．難経レッスン．医道の日本社，2010
大上勝行 著．東洋医学の春夏秋冬―セルフケアでからだを整える．三樹書房，2013
池田政一 著．新・古典の学び方．たにぐち書店，2013
池田政一 著．経穴主治症総覧．医道の日本社，2017
経絡治療学会日本 編．鍼灸医学（経絡治療・基礎編）．経絡治療学会，1997
柳谷素霊，柳谷清逸 著．補瀉論集．石山針灸医学社，1977
本郷正豊，小野文恵 著．解説鍼灸重宝記．医道の日本社，2007
井村宏次 著．気の医学―あなたも気の使い手になれる．アニマ2001，1990
魚住りえ 著．たった1日で声まで良くなる話し方の教科書．東洋経済新報社，2015
木村匡宏，田邊大吾 著．実はスゴイ四股―いつまでも自力で歩ける体をつくる．ワニブックス，2016
佐藤文彦 著．樹木気功法入門．日本林業調査会，2014
齋藤孝 著．自然体のつくり方―レスポンスする身体へ．太郎次郎社，2001

大上勝行（おおうえ・かつゆき）

1965年、徳島県生まれ。近畿大学薬学部卒業。大阪鍼灸専門学校（現・森ノ宮医療学園専門学校）卒業。池田政一氏に師事。おおうえ薬局治療院院長。経絡治療学会理事、夏期大学講師、にしずかラボ主宰。（一社）徳島県鍼灸師会副会長。著書に『図解よくわかる経絡治療講義』『絵本　難経レッスン』（ともに医道の日本社）、『東洋医学の春夏秋冬―セルフケアでからだを整える』（三樹書房）などがある。

協力	山口誓己
	太田智一
カバー・本文デザイン	掛川竜
撮影	田尻光久
モデル	田辺千晶
	東垣貴宏
イラスト	えのきのこ
図版作成	小田静（株式会社アイエムプランニング）

左利きの筆者に代わり、撮影に協力した山口誓己氏。

よくわかる 経絡治療実践トレーニング

2018年1月20日　初版第1刷発行
2022年9月5日　初版第2刷発行

著者　　大上勝行
発行者　戸部慎一郎
発行所　株式会社医道の日本社
　　　　〒237-0068　神奈川県横須賀市追浜本町1-105
　　　　TEL　046-865-2161
　　　　FAX　046-865-2707

©Katsuyuki Oue.2018
印刷・製本　ベクトル印刷株式会社
C3047　ISBN 978-4-7529-1402-0
本書の内容、イラスト、写真の無断使用、複製（コピー、スキャン、デジタル化）転載を禁じます。